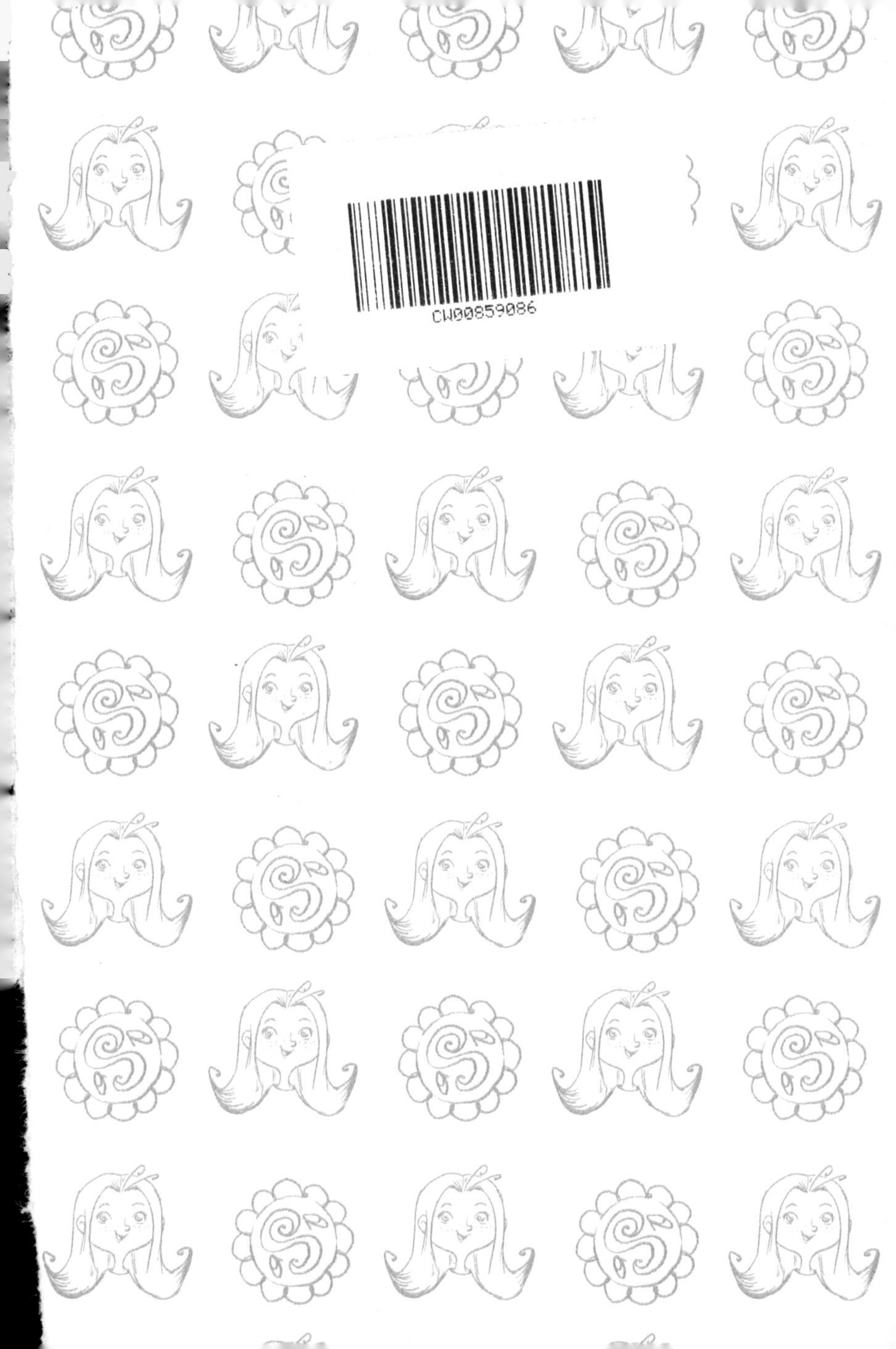

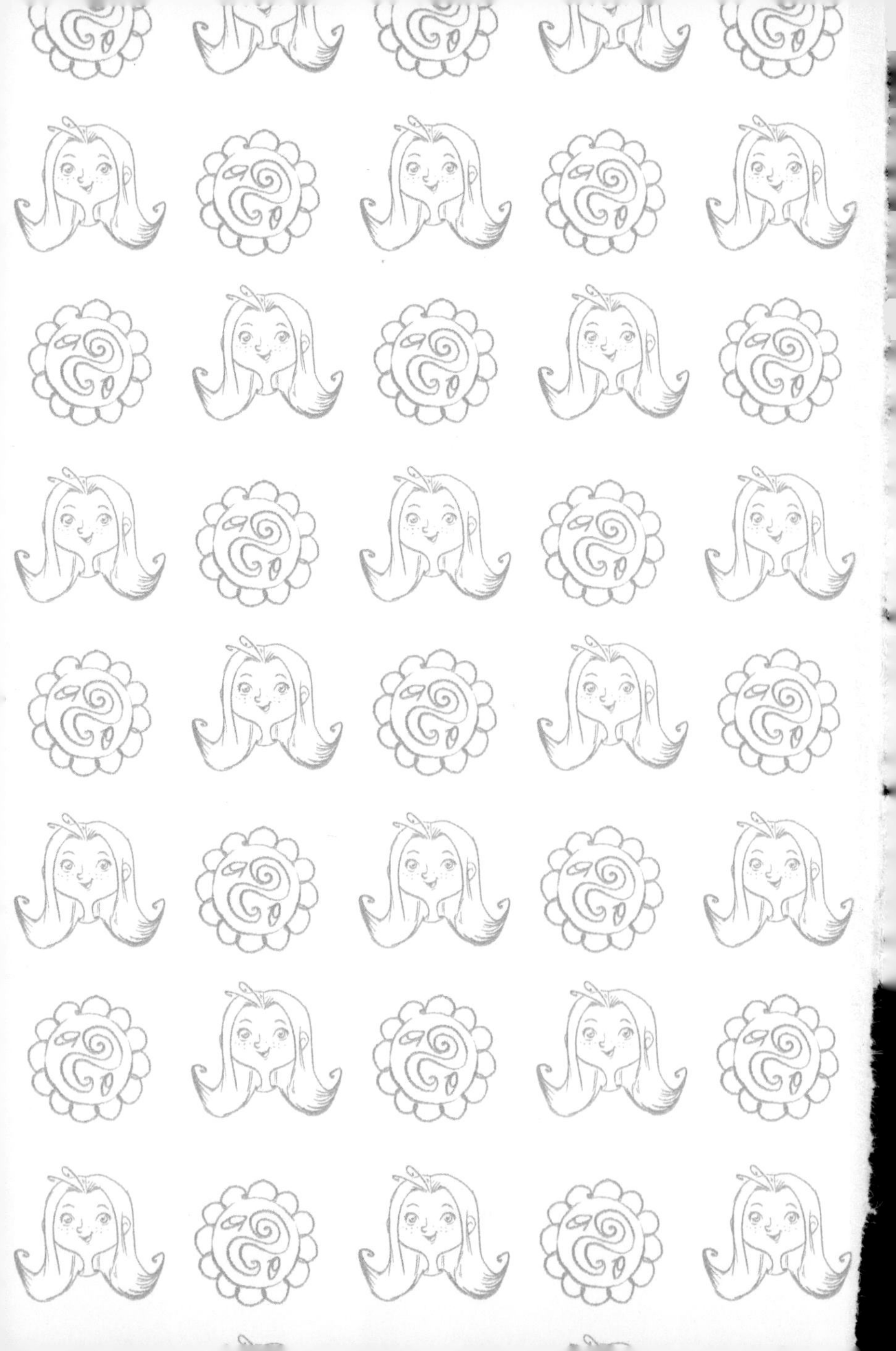

Агнєшка Мєлех

# і Таємний Клуб Супердівчат

## Слідство під час канікул

*Намалювала*

Магдалена Бабінська

*Переклала з польської*

Дзвінка Матіяш

Львів
Видавництво Старого Лева
2021

УДК 821.162.1-31
М 47



**Агнєшка Мєлех**

М47 Емі і Таємний Клуб Супердівчат. Слідство під час канікул [Текст] : повість / Агнєшка Мєлех ; пер. з пол. Дзвінки Матіяш. — Львів : Видавництво Старого Лева, 2021. — 176 с.

ISBN 978-617-679-868-2

Уррра! Почалися канікули!

Уже не треба рано вставати і щодня робити уроки! Емі, Флора, Фау та Франек їдуть у село Жаб'ячий Ріг до бабусі Емі. Літо в будиночку біля річки минає чудово: можна веселитися в саду, ходити по чорниці, будувати курінь і кататися верхи. Але в Таємному Клубі Супердівчат канікул не буває! Адже з бібліотеки Жаб'ячого Рогу кудись зникають книжки. Цікаво, чи це книгогризи постаралися, чи хтось навмисне вирішив завдати шкоди книгозбірні? Наші друзі беруться до справи! Чи вдасться їм розплутати і цю загадку? Читайте вже в четвертій частині!

УДК 821.162.1-31



ISBN 978-617-679-868-2 (*укр.*)
ISBN: 978-83-280-1314-8 (*пол.*)

*Нашій витривалій мамі*

# Хто є хто

Емі

Тато Емі

Мама Емі

Шоколадка

Бабуся Station

Франек
Анела
Фаустина
Костек
Геля
Іванко
Марійка
Малага

# З ТАЄМНОГО ЩОДЕННИКА ЕМІ

*Привіт!*

*Це я, Емі. Пишу до вас у своєму Таємному Щоденнику. Маю вам сказати щось важливе.*

*Я вирішила вести щоденник систематично. Мама каже, що систематичність — це один із секретів успішних людей. Тобто винахідників, письменників, мандрівників. Адже що би було, якби мандрівник, замість мандрувати у незнайомі місця, вирішив, що йому ліньки? Якби письменник не докладав зусиль до письма? Жодної книжки не було б написано. А піаніст? Якщо він регулярно не гратиме на інструменті, то може взагалі забути, як це робиться.*

*Так само з моїм Таємним Щоденником. Якщо не додаватиму в нього нових записів, можу розгубити купу цікавих загадок, за які міг би взятися Таємний Клуб Супердівчат. Наприклад, таємниця скорпіона. Або таємниця... ще не знаю чого, але щось таки знайдеться.*

*Систематично — це аж ніяк не означає нудно. Просто оберу конкретний день і час, коли записуватиму щось нове у щоденнику. Якщо у мене виходитиме, я молодець.*

*Ось так я вирішила.*

*Сьогодні опишу останню пригоду Таємного Клубу Супердівчат. Вона відбувалася з нами в театрі, у дуже творчій атмосфері. Ми потрапили за куліси, і нас ледве не замкнули в кімнаті, де зберігалися костюми!*

*На щастя, все закінчилося добре, а ми, дівчата з Таємного Клубу, допомогли врятувати суперважливу прем'єру. А крім того — честь одного режисера. А ще ми познайомилися з чарівним Лючано з Мілана і його гарненькою щурицею Лілією, яку ми навіть могли би прийняти до Клубу.*

*Зимові канікули ми провели у горах. Випало багато снігу, і все навколо було геть біле! Ми пречудово покаталися на лижах! Просто бомбезно! Шкода, що канікули такі короткі і треба повертатися до школи.*

*Потім настала весна, а зараз наближається Великдень.*

*Ось так коротенько, бо мама якраз просить мене допомогти на кухні. Ми будемо пекти великодню бабку! Круто!*

# ВЕЛИКДЕНЬ, ПОРОЖНЕЧА І ЗАПРОШЕННЯ ДО ЖАБ'ЯЧОГО РОГУ

Таємний Клуб Супердівчат застряг у глухому куті. Відтоді, як ми розгадали загадку (та ще й міжнародного рівня) про зникнення театральних костюмів, більше не з'являлося жоднісінької таємниці, яку би ми могли розкрити.

Флора нарікала, вже відколи ми повернулися із зимового табору.

— Ой як кепсько, — бідкалася вона. — Мій тато вважає, що життя не любить порожнечі.

У перший день передвеликодніх канікул Фаустина, Флора, Франек і я ледарювали у мене в кімнаті. Врешті-решт ми ж на канікулах! Франек поволі потягнувся й промовив:

— Настав час пояснити вам, що таке порожнеча.

Я закотила очі. Знову уроки?

— Ну знаєш, — почала я невпевнено. — Ми ніби й так це знаємо...

Франекові моя відповідь сподобалася:

— Справді? Ну то супер! У Таємному Клубі ще хтось, окрім мене, цікавиться фізикою!

«Це ж треба! — подумала я. — А що, як моя теорія порожнечі, ну, скажімо так, смішна? А я не люблю, коли з мене кепкують».

— Хвилинку, — втрутилася Фаустина. — Хочу тільки нагадати, що ми ще не прийняли тебе до Таємного Клубу Супердівчат.

Франека це зауваження Фау не збентежило, і він вів далі:

— Нумо! — намовляв він мене. — Розкажи, що ти знаєш про порожнечу.

— Гмм... Думаю, що це... це... — затиналась я. І врешті видала: — Це просто місце, де нічого немає!

Франек округлив очі й процідив:

— Ого! Це дуже цікава теорія. Я би сказав — революційна!

Але відразу ж почав свої мудрування:

— Ну бо річ у тому, що дуже складно знайти місце, де нічого немає.

— Ясно, — сказала Флора. — Скажімо, якщо в мене була коробка цукерок і я їх з'їла, то що тоді там усередині? Начебто порожнеча, бо в коробці вже нічого немає!

Франек замислився й промовив:

— У тій коробці завжди щось буде. Хоча би газ!

— Фу-у-у, ти говориш про гази? — скривилася Флора. — Це огидно!

— Я тільки хочу вам пояснити, що порожнеча в такому... ну, традиційному розумінні, це щось зовсім інше, ніж порожнеча у фізиці. Порожнеча у фізиці — це стан із найменшою кількістю енергії.

Тепер уже ми повитріщали очі, хоча взагалі не мали б дивуватися. Все-таки розмовляємо із сином професора фізики.

Побачивши наші приголомшені обличчя, Франек здався:

— Ну гаразд. Порожнеча — це не щось конкретне, це лише теорія. Запам'ятайте це, а в четвертому класі будете шокувати всіх на практичних.

— Знаєш же, що в нас зараз великодні канікули, тому більше хочеться розслабитись, — промовила Фло.

Фаустина мала іншу думку:

— А я гадаю, що це дуже навіть цікаво. Моя мама вважає, що ми маємо підготуватися до четвертого класу. Це зовсім не те саме, що навчання у третьому.

Флора скорчила страждену гримасу й попросила:

— Краще пограймося. У що завгодно. Можуть бути навіть ляльки. Вампірки. Поні. Я на все згодна!

Але тут у двері моєї кімнати постукали і зайшла мама.

— Хто хоче готувати тісто на великодню бабку? Фелек якраз приніс яйця!

З-за маминої спини визирав Фелек. Важко було не впізнати його вогненної шевелюри і мордочки кицьки Фіалки, яку він притискав до себе.

— Це я! А ви тут що затіяли? Мама відправила мене принести свіжі яйця зі села. Наша бабуся їх майже шістдесят штук привезла!

— Тобто копу*, — зауважила мама.

— Там їх справді купа! — вигукнув Франек.

— Франеку, я мала на увазі не купу, а копу. Це конкретна кількість, тобто п’ять дюжин**, — ґречно пояснила мама. — Що ж, у нас уже є свіжі яйця, тож можемо пекти великодню бабку.

---

* Копá — давня одиниця лічби, що дорівнює шістдесяти.
** Дюжина — дванадцять штук.

ТАЄМНИЙ
КЛУБ

— Ну, то я вже побіг! — заверещав Фелек, запхав Фіалку в кошик і грюкнув дверима.

Флора затулила вуха, а Фау закотила очі. Ох ці хлопці! А за мить ми вже були в кухні й почали готуватися пекти великодні бабки.

Для тіста нам були потрібні масло, цукор, яйця і борошно. Спершу треба було просіяти борошно. Ми сипали його на сито й завзято тим ситом трясли. Чудова розвага! А тісто буде пухкіше. Ням-ням! Потім ми розбивали яйця і відокремлювали білки від жовтків, а це зовсім не просто! Жовтки нам треба було перетерти з маслом і цукром, а білки збити у щільну піну. І всі хотіли їх збивати. Нарешті ми засипали просіяне борошно й розпушувач для тіста до масляної маси. І наприкінці додали білкову піну.

— Тісто на бабку готове. У вас дуже добре все вийшло, — похвалила нас мама.

— А в нас удома бабки трішки коричневі, — сказала Фаустина.

— Може, вони просто підгорілі? — замислилася Флора.

Мама відкрила шафку, попорпалася в ній і дістала кольорову баночку:

— Дуже доречне зауваження. Можемо в одну частину тіста додати какао.

Коли ми вже наповнили форми для тіста по черзі то коричневою, то білою масою, бабки помандрували у духовку. А в нас ще залишилося трохи тіста.

— Ви можете спекти власні великодні бабки, — запропонувала мама.

— Так! — загукали ми хором.

І потім ще довго збивали, просіювали і реготали. Аж тут з'явилася пані Лаура.

— З великоднім прибиранням я покінчила, — захекано сказала вона. — А тепер забираю Флору і Франека. Професор просив, щоб Франек не спізнювався. Знову якісь експерименти.

Франек підскочив як ошпарений і залементував:

— Я зовсім забув! Ми сьогодні проводимо досліди з електромагнітним краном*!

Флора побігла за ним, вигукуючи:

— Сам ти кран! Дивись, не загубись у порожнечі!

Франек — як завжди, незворушний — гукнув у відповідь:

---

* Ідеться про гру, завдяки якій можна побачити, як працює електромагніт.

— Ти ще побачиш, яка цікава фізика!

Пані Лаура додала на прощання:

— Ой! Мало не забула: завтра на нашій вулиці відбуватиметься святковий ярмарок. Можна буде писати писанки, ткати на кроснах і дегустувати великодні страви. Обов'язково приходьте!

На радощах я аж підскочила:

— Супер! Ми йдемо на ярмарок! Будемо писати писанки!

День має бути чудовий.

— Ну, якщо тато, повернувшись із відрядження, поприбирає в хаті, — попередила мама.

— Ходімо разом із татом, — запропонувала я. — Ти ж сама кажеш, що прибирання — не вовк, у ліс не втече!

Мама розсміялась і пообіцяла, що тоді ми поприбираємо після того, як прийдемо з ярмарку. Тож я подумала про цілу купу деталей конструктора «Леґо», яку мені доведеться поскладати. Ой як невесело...

Наступного дня мама взяла вихідний. Таке рідка трапляється. У них на фірмі не дають багато вихідних.

Уже по десятій ми були біля будинку Звєндли. Мама, тато, що вночі повернувся з будівельного майданчика, де будувалися нові будинки, ну і я. Уздовж вулиці вже стояли різнобарвні ятки.

Ми з мамою ледве стрималися, щоб не поринути у вир святкових закупів, і подалися до Звєндли.

— Може, вони хоча б почастують нас кавою, мені ж довелося встати вдосвіта, — бурмотів тато.

Пані Лаура, Флора та її тато зустріли нас у піжамах.

— Щось мені не хочеться рано вставати у вихідні, — промовив пан Звєндли і зручно вмостився у кріслі.

Тато, засмучений тим, що не може всістися у власному кріслі, попросив кави.

— Тільки якнайбільшу! — додав.

— Відро кави! — поправив його пан Звєндли. — Мені також вельми кортить кави.

Зате мені кортіло побігати серед яток, але на мене чекала несподіванка.

— У нас сьогодні налисники зі справжнім джемом! — загукала Флора і потягнула мене в кухню, де на столі височіла гора запахущих млинців.

Я кинулася по тарілку — і ось ми вже наминаємо налисники, аж за вухами лящить.

— Є й великодні налисники, — промовила мама, заходячи до кухні з пані Лаурою.

— Джем ми купили на ярмарку, — виправдовувалася Флорина мама. — Натуральний, зі справжніх фруктів.

Як доказ, дістала із шафки кілька слоїчків, перев'язаних кольоровими стрічечками.

— Аґрус із помаранчею. Полуниці з ромом, — мама дивилася на слоїчки і вголос читала етикетки. — Суцільний ексклюзив!

— Я також би хотіла на Великдень налисників. З полуницями й ромом! — вигукнула я.

Мама покрутила головою:

— Великодні страви — це журек, біла ковбаса* і, безперечно, крашанки.

Я не фанатка ані журеку, ані ковбаси, тож різко відповіла:

— Тоді я їстиму тільки крашанки. А це ж не дуже корисно.

Як тільки ми розправилися з налисниками, відразу вирішили підкоряти великодній ярмарок.

---

* Традиційні польські страви. Журек — суп на основі м'ясного відвару та закваски з житнього борошна. Біла ковбаса справді має білий колір, її виготовляють зі свинини. — *Прим. пер.*

На всіх ятках можна було знайти щось цікаве. Тут були дерев'яні прикраси: зайчики і дерев'яні яйця, милі курчата і гусочки з ніжного пір'я. Вони були такі гарненькі! А ще на одній ятці ми побачили коновки й горщички з молоденькими рослинами, оздоблені кольоровими стрічками. Ще там були прегарно вишиті костюми й посуд, розмальований вручну.

Однак їжі було найбільше: хліб і булки, безліч пирогів і тістечок, сирів і копчених виробів. Ми також знайшли ятку з джемами — отими, які я куштувала у Флори вдома. Ми вирішили купити і полуничний, й аґрусовий. Скільки смакоти буде на свята! Щоправда, тато сказав, що для нього важливі тільки журек і біла ковбаса, та ще мазурки*, але я йому не вірю.

— Тату, ти ж сам кажеш, що життя міняється, — мовила я. — Може, сьогодні великодня страва — це джем!

Окрім розглядання яток, купа часу в нас пішла на освоєння кросен, за якими працювали жінки у білих вишитих сорочках і кольорових смугастих спідницях. Сьогодні ніхто не одягається так на щодень.

— Це традиційне народне вбрання, — пояснила мама.

Потім вона виткала маленький килимочок і вирішила, що покладе його у ванній. Я фарбувала

---

* Мазурек — традиційна польська великодня випічка з двох видів тіста. — *Прим. пер.*

у цибулевому лушпинні яйця, загорнені в кольорові ганчірочки. У мене вийшли найчудовіші крашанки. Раніше мені такі гарні не вдавалися.

Нарешті мама вирішила, що час повертатися, бо наближалася обідня пора.

— Емі, забираємо тата. Мабуть, він разом із паном Звєндли дивиться спортивні передачі. За кілька годин приїздить бабуся Станіслава. А ми навіть кошичка на свячення не приготували!

Кошичок зі свяченим — це важливий символ Великодніх свят. У нього кладемо їжу, яку будемо святити в храмі у Страсну суботу, а потім разом споживатимемо її під час великоднього сніданку. Я приготувала свій кошичок. Поклала в нього скибку хліба, невеличку ковбаску (таку, яку можу з'їсти), шматочок великодньої бабки і джем у блюдці.

— Я ще ніколи не бачила джему у великодньому кошику, але якщо для тебе це важливо... —

згодилася мама і дозволила мені додати ще один вид джему.

А ще я поклала до кошика цукрового баранчика й накрила його серветкою. Можна вирушати до церкви.

Потім тато поїхав на залізничний вокзал зустрічати бабусю.

Цікаво, які подарунки я отримаю? Я нетямилася від нетерплячки, й очікування було того варте! Бабуся привезла мені кольорові писанки, розмальовані сільськими майстринями, і суперсмачні солодощі. Мамі, щоправда, це не дуже сподобалося, бо вона не дозволяє мені щодня їсти стільки солодкого.

Наш Великдень минув дуже гарно. Ми ходили на прогулянки. Зустрічі вдома у родини Звєндли вже стали традицією. Найбільше вони тішать маму, бо їй тоді треба менше готувати і прибирати вдома! Цьогоріч на Великдень ми знову обідали у батьків Фло, цього разу в товаристві бабусі, професора і Франека.

У Таємного Клубу Супердівчат свята також минули чудово: нам вдалося уникнути поливання водою — цей сюрприз на Обливаний понеділок для нас готував Франек.

А на завершення свят нас чекала справжня несподіванка. Бабуся запросила нас, себто учасниць Таємного Клубу Супердівчат, на канікули у село. Влітку вона звично перебирається жити в садибу над річкою. Там у неї є садок із купою овочів та фруктів і літній будиночок.

— Тепер, коли я вже знаю, що Таємний Клуб Супердівчат — серйозна організація, я повинна запросити вас до Жаб'ячого Рогу. Може, там причаїлося кілька загадок? — таємниче промовила бабуся.

Франек, що прислуха́вся до нашої розмови, багатозначно гмикнув.

— Річ у тому, бабусю, що Франек не належить до нашого Клубу, — пояснила я.

— Авжеж, — додала Флора. — Він же не дівчина.

Бабуся запропонувала:

— Якщо тільки пан професор дасть згоду, ласкаво запрошую Франека до Жаб'ячого Рогу.

— Урррра! — заверещав Франек. — Тато точно згодиться!

— А що ми робитимемо у Жаб'ячому Розі? — поцікавилася Фаустина.

Бабуся, не довго думаючи, відповіла:

— Окрім загадок, у Жаб'ячому Розі у мене ще є садок, і там потрібні помічники, які полотимуть бур'ян і збиратимуть фрукти. Можете також ходити до лісу, збудувати над річкою курінь. Можна палити багаття.

Ми перезирнулися. Це був суперовий план! Ми ідемо у місце, де можуть чаїтися загадки для Таємного Клубу і де нас чекає стільки розваг! Пахне чудовими канікулами! Круто!

## УРРА! ЇДЕМО НА КАНІКУЛИ!

Настав перший день канікул. Справжніх канікул! Коли не треба йти до школи, можна спати, скільки хочеться, і снідати тоді, коли заманеться. Ніхто не дратується, що трамвай поїхав у нас перед носом або що ми стоїмо в заторі, а дзвінок уже невдовзі продзвенить.

Уже два дні ми готувалися до поїздки до бабусі в село. Ми житимемо в Жаб'ячому Розі у садибі біля річки. Їдемо двома автівками. Франек, Анєла і Фаустина приїдуть із професором Каґанеком. Флора, її мама, я і Шоколадка їдемо з татом. Ми знову опікуємося песиком, бо тітка Юлія поїхала на кілька тижнів милуватися норвезькими фіордами.

Я так переймалася нашими мандрами, що спакувалася на два дні раніше. Всі мої речі та м'які іграшки вмістилися в одній валізці.

Ми вирушили рано-вранці. Однак, коли добралися до дому Звєндли, зіткнулися з певними труднощами.

Усе почалось як зазвичай. Ми запаркували авто неподалік від будинку і чекали, щоб родина Звєндли винесла багаж. Пані Лаура замість валізок винесла горнятко кави й чемно запросила нас на другий сніданок.

Тато скривився.

— Це перші дні канікул, Лауро. На дорогах будуть затори. Зрештою, ми можемо перекусити в якомусь придорожньому ресторанчику.

— Придорожньому?! — обурилася пані Лаура. — І чути такого не хочу! Ми не будемо їсти у придорожніх забігайлівках. Харчуватимемося здоровою їжею!

Тато вже хотів було капітулювати, але мама Фло була категорична:

— Якщо вже ми так поспішаємо, то, зрештою, можемо взяти харчі в дорогу.

Тато, задоволений, що все так обернулося, побіг готувати місце у багажнику. А я побігла за ним. Люблю поратися біля машини! Колись я допомагала татові міняти колесо. Минуло кілька хвилин, і ось з'явилися речі пані Лаури та Флори.

Спершу Флорин тато ледве виволік рожеву валізку завбільшки з піаніно.

Тато, не вірячи власним очам, здійняв брови і насилу відставив убік рожевого гіганта.

Потім Флора притягнула ще одну валізку, лише трішки меншу, обліплену кольоровими наклейками.

— Уфф, — зітхнув із полегшенням тато. — Дві валізки — це не страшно.

І поставив Флорину валізу поруч із рожевою.

Тато завзято щось поперекладав у багажнику, а потім спокійно сів за кермо, тихенько наспівуючи.

Щось наче: «Лі-і-іто, просто лі-і-іто...».

Аж тут пан Звєндли притягнув скриню. За ним вигулькнула Флора ще з двома валізками.

Тато вибрався з автівки і з понурою міною закинув нові клунки на гору багажу, що належала сімейці Звєндли.

Нарешті з'явилася сама пані Лаура. Вона стала нагорі на сходах і кинула на нас погляд з-понад сонячних окулярів. На голові у неї був величезний білий солом'яний капелюх, обв'язаний блакитною стрічкою, на ногах — блакитні босоніжки на височенних підборах. Вона тягнула скриньку, жовту торбинку і кошичок, прикрашений рожевими намистинами.

Побачивши її, я занепокоєно зітхнула. Тато ще раніше сказав, що ми не зможемо запхати до автівки всіх валіз. Можливо, навіть хтось із нас не втиснеться, себто Флора або я!

Тато вийшов з автомобіля, обіперся на багажник і без жодного слова кивнув на височенну гору валіз:

— Лауро, це лише десять днів у селі. Тобі справді потрібно стільки валізок? А ще скриня, торбинка й оце... ну, не знаю, як це назвати? — тато показав на кошичок, що висів у пані Лаури на руці.

— У цьому кошичку купа всякої смакоти, — обурилася пані Лаура. — Харчі на час мандрівки.

— Ми навантажені по саму зав'язку. Я навіть не знаю, як ще Шоколадку запакувати, — зітхнув тато. Потім критично глянув на взуття пані Лаури й запропонував: — А ще раджу тобі перевзутися у щось зручніше.

Тато змовницьки зиркнув на пана Звєндли, й обидва всміхнулися.

— А це ще чого? Моє взуття дуже навіть зручне. І зовсім літнє, — пані Лаура вельми уважно подивилася на свої ноги, не збираючись слухати татових порад.

Флора, яка досі чемно спостерігала за тим, що діється, раптом розігналася й з усіх сил гепнулася на гору валізок. А я? Я ж не пропущу такої нагоди! За мить я вже приземлилася поруч із нею. За мною відразу ж метнулася Шоколадка, облизуючи мені обличчя. І тут валізки затрусилися й роз'їхалися врізнобіч.

Тато похитав головою і разом із паном Звєндли взявся запихати речі до автівки.

— Е-е-е... Ми підкорили вершину, а тепер маємо здатися, — промовила Фло, коли з-під нас витягнули останню валізку.

Нарешті чоловіки запакували речі до багажника і почали саджати нас у авто.

Однак виявилося, що Шоколадці місця не вистачало.

— Шоколадка поїде на даху або бігтиме за машиною, — пожартував тато. — Та обидва варіанти нереальні, тож вона залишається вдома у Звєндли.

— Але я хочу, щоб Шоколадка їхала з нами! — марудила я. Мені було дуже прикро, що Шоколадка залишиться в місті, а ми гасатимемо над річкою.

— Шансів нуль. Забагато валіз, скриньок і кошичків, — відповів тато, але відразу ж додав: — Може, щось і вийде придумати...

Почухав потилицю й запропонував:

BEST
DAD

— Можу її привезти за тиждень, коли приїду до вас на перевірку... ой, даруйте, в гості.

Я полегшено зітхнула, хоча Шоколадка дивилася на нас сумними очима. Пан Звєндли був ще сумніший, бо запланував собі ввечері подивитися футбол, а тепер йому доведеться вигулювати собаку. Шоколадка, мабуть, здогадалася, що Флориному татові не сподобалось, що все так обернулося, бо вона завиляла хвостом і почала лизати йому литку. Знову настав мир та спокій.

Нарешті ми рушили.

— А фільми будемо дивитися? — спитала Флора, вертячись на сидінні.

Тато знову скривився. Він особливо не любив кіносеансів у автомобілі.

— У нас немає місця для відеоплеєра, — відповів він.

— Ой як нудно, — зітхнула Флора.

— Та ну, Флоронько, буде чудово! — пані Лаура мала іншу думку. — Будемо грати у слова. Може, почнемо зі «*Щось біля нас на літеру...*».

Ця ідея всім сподобалася. Отож ми грали у «*Щось біля нас*», і було дуже весело. Але невдовзі ми вже їхали лісом і всі ідеї слів «біля нас» вичерпалися, бо навколо були тільки дерева. Тоді пані Лаура вигадала нову розвагу. Треба було придумувати слова на якусь літеру. Хтось казав слово, а інший гравець мав сказати слово на ту літеру, на яку закінчувалося попереднє. Тато, щоправда, пропонував називати рідкісні лісові рослини, але Флора рішуче виступила проти. Нова гра тривала не дуже довго, бо ж більшість слів закінчувалася на «А» і нам бракувало слів, які би починалися на цю літеру.

— Аптека, — гукнула Фло.

— Апаратура, — відповіла я.

— Та ну! Я з вами не граю, — рознервувався тато. — У мене вже закінчився запас слів на літеру «А», тому зараз буде А-Б-Р-А-К-А-Д-А-Б-Р-А!

— Ну от! Навіть ви знаєте тільки ті слова, що закінчуються на «А»! — вигукнула Флора.

Тоді пані Лаура запропонувала зупинитися на лісовому паркінгу.

— Перекусімо щось просто неба! — вигукнула вона. — Ой! Ви тільки-но подивіться, який прегарний паркінг!

Тато зупинив машину, а ми з Флорою вискочили із салону й помчали до дерев'яних столиків.

— Ой, як тут класно! — тішилася Флора.

— Обережно, бо тут можуть бути кліщі, комарі й інші летючі створіння! — попередила нас мама Фло.

— Себто комахи, — пояснив тато. — Тільки кліщі справді небезпечні. Треба бути дуже уважними в кущах і у високій траві.

Про всяк випадок ми не заходили глибоко до лісу. Не залазили в кущі й не качалися у високій траві. Просто собі гуляли. Пані Лаура тим часом приготувала справжню учту. До столу нас заманили пахощі їжі.

— Кошичок виявився дуже доречним. Навіть конче потрібним! — згодився тато, апетитно наминаючи смакоту авторства пані Лаури.

Я теж щось для себе знайшла серед огірків і сирочків, яких просто терпіти не можу.

Ми з Флорою ум'яли майже всі полуниці й малину, а тоді нам ще дістався йогурт. На завершення ми випили яблучний сік.

— Смакота! — поплескала я себе по животу й розляглася на лавці.

— Я би також залюбки полежав, — визнав тато. — Але хутенько сідаймо до автівки, перш ніж юрби туристів виїдуть на дорогу.

— Не так швидко, — зупинила нас пані Лаура. — Треба ще після себе поприбирати.

— Слушно, — згодився тато. — Що би про нас подумали лісові тварини?

Прибирання не належить до моїх улюблених занять, але я приєдналася до всіх. Керівничка Таємного Клубу Супердівчат не може в таких ситуаціях ухилятися від роботи.

Ми їхали ще годину. Тепер ми скрашували поїздку пісеньками. Виявилося, що пані Лаура знає їх багато. Вона навчила нас пісеньки про літо.

Отож ми на весь голос виспівували:

*Літо, літо нас чека,*
*А разом із ним ріка,*
*Ліс також нас вже чекає,*
*А нас досі ще немає-е-е-е!!!**

Нарешті ми приїхали. Я відразу збагнула, що ми вже на місці.

Спершу ми побачили величезне лелече гніздо на стовпі. А з гнізда визирали біло-чорні пташенята.

— Жаб'ячий Ріг — якраз на лелечому маршруті, — пояснив тато. — Біля села є багато лелечих гнізд.

— Вони такі великі! — здивувалася Флора.

— Мені видається, що вони ще маленькі й не можуть літати, — промовив тато.

— Та ж я не про птахів, а про гнізда! — пояснила Фло.

— Це дуже цікаво! — загорівся тато. — Гнізда чималі, а деякі можуть важити кілограмів п'ятдесят!

Ми дуже здивувалися. Щось нам важко було уявити, що лелеки можуть збудувати такий прегарний дім.

---

* «Літо, літо» — пісня з фільму «Чортеня з сьомого класу», знятого на основі однойменного роману польського письменника Корнеля Макушинського. Автор слів — Людвік Єжи Керн, музика Вітольда Кшемєнського.

Відразу ж після цього ми добралися до таблички з написом «Жаб'ячий Ріг».

— Ми на місці! — зрадів тато.

— А чого Жаб'ячий Ріг так зветься? — поцікавилася Флора.

Тато не знав. А може, не хотів нам казати?

— Спитайте бабусю. Може, є якась легенда, що все пояснює.

Ми проїхали ще трохи, проминули поля, на яких усе зеленіло, а потім — кілька кам'яних будинків.

— А скільки людей живе у Жаб'ячому Розі? — поцікавилась я.

— Гммм... Може, зо двісті? — замислився тато. — Але тут багато всього цікавого. Старовинний костел, крамниці, дитячий майданчик, школа, дитячий садок, футбольне поле, пожежне депо й бібліотека.

— А кінотеатр є? Бажано такий, щоб можна було дивитися фільми у 3D, — допитувалася Флора.

Тато мовчав, зате втрутилася пані Лаура:

— У селі переважно немає кінотеатрів. Зате є інші чудові місця. Луги й поля, де росте багато рослин, а навколо — прегарні ліси, — пані Лаура вихилилася з вікна й показала густі дерева вдалині.

Справді, довкола було все зелене.

Тато додав:

— Тут є також господарства, де розводять коней і корів.

— Ага-а-а, знаю. Вони звуться ферми! — зраділа я.

— Ну, наче так, — замислився тато. — Хоча колись вони звалися просто господарствами. У твоєї прабабусі було невеличке господарство. Вона тримала свиней і курей.

— А що вона з ними робила? — спитала я.

— Кури несли яйця, які ми їли. Свиней вона також вирощувала для себе, на м'ясо, — пояснював тато.

Потім тато ще розповідав нам, чим зазвичай займалися люди в селі. Вони обробляли землю, садили сади, доглядали пасіки, виготовляли смачні шинки, пекли хліб, консервували садовину й городину і вирощували тварин.

— А в селі був ветеринар? — поцікавилася Фло.

— Без ветеринара було не обійтися, — підтвердив тато. — Хоча люди, що мають тварин, добре їх знають і часом самі можуть їм допомогти.

— Я знаю одного ветеринара! — гордо проказала Флора. — Це доктор Дуліттл*.

---

* Доктор Дуліттл — головний герой роману Г'ю Лофтінґа, лікар, що завдяки своїй папужці Полінезії вивчає мову тварин і стає ветеринаром. Разом зі своїми тваринами Дуліттл переживає незвичайні пригоди.

Це прозвучало кумедно, і всі ми вибухнули сміхом.

— А в селі є щось, що для тебе завжди залишається несподіванкою? — спитала я тата.

— Мабуть, коров'ячі пироги у полі, — відповів він із серйозним виразом обличчя.

Ми здивовано глипнули на нього.

— Які ще коров'ячі пироги?

— Коли корова пережує траву, то потім робить пиріг! — засміявся тато.

Пані Лаура з огидою скривилася.

— Отакі пироги, малята. Точніше, отакі пироги, міщани. Навколо нас така краса, а ти оповідаєш про якусь гидоту!

— Це просто природа, — відповів тато.

Судячи з його міни, він чудово розважався.

Нарешті ми добралися до перехрестя. Повернули ліворуч відразу за крамницею і запаркувалися на чималій площі. Поруч, у великому саду, стояв дерев'яний зелений будинок.

Я цього будинку не пам'ятала. Востаннє я гостювала тут у бабусі три роки тому. Тоді я ще не була керівничкою Таємного Клубу. Зате згадала, що, коли мене подряпав кіт, бабуся повела мене на найсмачніше у світі вершкове морозиво.

А ось і вона! Бабуся!

Ми вилізали з машини, а вона вже простувала до хвіртки.

# МИ У ЖАБ'ЯЧОМУ РОЗІ!

Коли вже бабуся нас усіх пообіймала, почалося спустошення багажника. Тато заставив усе місце для паркування нашим майном, себто валізами, валізками й кошиками.

— Оце так виставка! — здивувалася бабуся. — І воно все у вас тут помістилося? — недовірливо спитала вона, вказуючи на багажник.

— Дайте подумати, — серйозно замислилася пані Лаура. — Мені довелося відмовитися від шпильок, жовтого капелюха і кількох суконь.

— Мамо, та ж бабуся тебе підколює! — озвалася Флора.

Пані Лаурі це не дуже сподобалося, але з чемності вона нічого не сказала.

Коли наше манаття (як назвала наш багаж бабуся) перетягнули на подвір'я, ми почули, як завищали шини.

Бабуся зморщила брови (мабуть, вона не дуже любить, коли галасують), а Флора радісно загукала:

— Це, мабуть, Франек!

— І Фаустина! — додала я. — Не забувай про тих, хто входить до Таємного Клубу Супердівчат!

Ми помчали до хвіртки.

Так, це були вони!

Пан професор стояв біля автівки. Шия у нього була замотана картатою хустиною. Франек і Фау крутились навколо нього.

— Ви хутенько доїхали! — промовив тато, що разом із бабусею приєднався до нашої привітальної компанії.

— Авже-е-еж, — видихнув Франеків тато і витер піт із чола хусткою. — Ти, певно, жартуєш. Якщо взяти до уваги те, що ми виїхали на дві години раніше за вас, то немає чим хвалитися. Але той, хто хоче скоротити дорогу, може мати претензії лише сам до себе.

— Ви заблукали, пане професоре? — допитувалася занепокоєно пані Лаура.

— Таж ні! Чого б то! — вибухнув професор і відразу додав: — Тільки ми дорогою вже побували в Жаб'ячому Долі, Жаб'ячому Рові, а ще в Новому Жаб'ячому Розі.

— Ого! Бачу, що Жаб'ячий Ріг ви обминули! — додала бабуся.

— Але череда корів, яких переганяли на інше пасовисько, нас не обминула. Через тих корів ми чекали пів години, — поскаржився професор.

— Ви бачили корів? — недовірливо верескнула Флора.

— Нічого дивного, корови живуть у селі, — зверхньо проказав Франек, а Флора закотила очі.

— Хто кого любить, той того й гудить, — пожартувала бабуся, а я хитро гукнула:

— А коров'ячі пироги ви бачили?

Ми всі аж пирскнули зі сміху, а Франек лише стенув плечима.

— Ну що ж, усі вже доїхали, тож вітаю вас у Жаб'ячому Розі! — врочисто промовила бабуся.

— Усі ще не доїхали, — я скорчила сумну міну. — Немає ще Анєли й Шоколадки.

Тато пояснив бабусі, що Анєла, можливо, незабаром до нас приєднається, а Шоколадка не вмістилась у автівці, бо пані Лаура мала забагато речей.

— Мене ніхто не попереджував, що в нас обмеження, — виправдовувалась пані Лаура.

Бабуся запропонувала нам розпакувати речі.

— Заносьте ваші клунки до літнього будиночка, — кивнула вона на білу будівлю у глибині подвір'я.

Ми похапали менші торбинки й наплічники, тати взяли валізи — і всі разом подалися до будиночка, піднявшись дерев'яними сходами.

На порозі побачили вузький коридор і двері до двох кімнат.

— Це буде ваше літнє королівство, — сказала бабуся.

— А тут є миші? — тремтячим голосом спитала Фло.

— А комарі й мухи? — уточнила Фаустина.

Мені стало справді соромно! І оце такий Таємний Клуб Супердівчат? Тож я згадала наше гасло:

*Не боїмось ми щипавок і тарганів,*
*Не пищимо від змій і павуків,*
*Не боїмося монстрів, ні почвар,*
*Ні привидів, ані нічних примар!*

Бабуся з розумінням поплескала мене по плечу й промовила:

— Хлопці — ліворуч, дівчата — праворуч. Миші, комарі й мухи у Жаб'ячому Розі нікого не дивують.

— Фу-у-у! — здригнулася Флора.

Мені довелося її щипнути, щоб вона отямилася.

Пізніше ми почали досліджувати наш літній будиночок. Дівчача кімната — та, що праворуч, — була величенька, і там стояло повно всяких меблів.

Попід стіною розмістилася досить висока шафка зі шухлядами, а на ній у вазі стояв прегарний букет квітів. Шафка видалася мені дивною, отож я відразу почала думати, які в ній можуть чаїтися таємниці.

— Які гарні квіти! — захоплювалася пані Лаура.

— Це польові квіти. Маки, ромашки й волошки. Вони якраз зараз цвітуть, — пояснила бабуся.

Потім взялася за металеву ручку однієї шухляди й відсунула її.

— Я приготувала для вас постіль та рушники. Вони у найнижчій шухляді комода. Чистенькі, пахучі.

Виходить, ця велика шафа — всього-на-всього звичайнісінький комод? Може, й так, але і звичайні предмети можуть приховувати таємниці! Ще не вечір.

Бабуся порадила нам застелити ліжка, що тісненько стояли одне біля одного. Це не були звичайні ліжка, на яких ми спимо вдома. Всі вони були різні, але кожне мало високі металеві бильця з вишуканими кульками, з яких то там, то сям облущувалась фарба.

Флора вигадала свій спосіб застилати ліжка. Розігналася щодуху й вискочила на найближче ліжко. Ми почули тільки гуркіт, клацання та зойки. Фло відлетіла від матраца й підскочила аж до стелі.

— Обережно! — попередила її бабуся. — У цих ліжках металеві пружини.

— Супер! — вигукнув Франек. — Ми будемо високо стрибати, б'ючись подушками.

— У твоїй кімнаті ліжко дерев'яне. Тож обережно зі стрибками! — вгамувала його запал бабуся.

Франек одразу похнюпився. Йому не вельми сподобалося, що тільки ми можемо стрибати.

Затим ми пішли з бабусею дивитися його кімнату. Вона була менша за нашу, стіни в ній були ясно-зелені. У глибині стояла шафка з величезним, аж під стелю, люстром. А біля шафки — дерев'яне, також зелене ліжко.

— Тут мило, — промовила пані Лаура.

І раптом ми почули над собою шурхотіння. Здивовано підняли голови й втупилися у стелю.

Перша обізвалась Фау:

— Це що таке було?

— Миші на горищі витанцьовують, — пояснила бабуся.

— Ми знаємо одну таку щурицю, — похвалилася Фло. — Вона аж з Італії приїхала.

Я змовницьки підморгнула дівчатам. Гарно, що Таємний Клуб Супердівчат уже не боїться мишей!

— Дуже цікаво, — сказала бабуся. — А тепер я забираю пані Лауру, а ви можете розпакувати свої речі, — додала вона й пішла до виходу.

Пані Звєндли роззирнулася довкола й спитала здивовано:

— Секундочку, а вбиральня де?

— У літньому будиночку вбиральні немає. Вона в головному будинку, там, де живемо ми, дорослі. Діти ходитимуть до великого будинку митися, користуватися туалетом і їсти.

Ми перезирнулися. Нічого собі! Ми живемо без туалету. Круто!

— А якщо вночі я захочу пі-пі? — допитувався Франек.

— Що ж, якщо світло в будинку горітиме — можеш прийти, а якщо ні... — бабуся зробила паузу, — можеш знайти затишне містечко на подвір'ї.

— Тобто кущі! — зрадів Франек.

Пані Лаура обурено звела брови, але бабуся вже собі пішла.

Коли ми залишилися самі в літньому будиночку, то загукали, перекрикуючи одне одного.

— Як у таборі! Ванни немає! — кричав Франек.

— Я вибираю ліжко під вікном! — пищала Флора.

— Я те, що посередині, — може, миші на мене не нападуть! — кричала Фаустина.

Мене ж цікавив тільки таємничий комод.

— А я спатиму біля комода. Ось побачите, ми розкриємо тут купу загадок.

А далі ми сумлінно взялися розпаковувати наші наплічники й розпихати речі у шафки біля ліжок. Подіставали свої м'які іграшки і розсадили їх на комоді. Книжки поставили біля ліжок, хоча Флора попередила, що на канікулах вона читати не збирається. Ми вже завершували, коли по нас прийшла пані Лаура й повідомила, що бабуся запрошує на обід.

Тож ми помчали до зеленого будинку, подолали східці та зайшли у двері з сіткою, що мала захищати від надокучливих комах. І відразу опинилися на веранді. Вона мені дуже подобалася, бо крізь два високі вікна у блакитних рамах потрапляло багато світла. Щоправда, вікна частково були затулені дерев'яними віконницями, але тут однаково було дуже ясно. З веранди відкривався чудовий краєвид — можна було бачити і сад, і подвір'я. Меблі, що тут стояли, також були незвичайні.

З одного боку красувалася величезна канапа. Неймовірно приємна на дотик, бо оббита вона була м’якесеньким велюром. З другого боку стояв довгастий стіл, уже накритий до обіду, та лавки.

— Діти, хутенько мийте руки і сідайте до столу! Сьогодні у нас зелений борщ зі щавлем, — гукнула бабуся й поставила на столі супницю, від якої йшла пара.

Ми побігли до кухні, а там пані Лаура показала нам ванну кімнату.

— Заходьте по черзі, у ванній усі не вмістяться.

Ми слухняно стали в чергу, а Франек стежив за тим, щоб ми заходили по одній.

— Від завтра набирає чинності графік користування ванною кімнатою, — оголосив він.

Коли ми нарешті повсідалися за столом, животи в нас усіх добряче бурчали.

Пані Лаура насипала кожному порцію зеленого борщу зі щавлем.

— Цікаво, щавель — це дика рослина? — міркував уголос Франек.

— Щавель росте над річками й на лузі. Його їдять тварини, але люди також вживають його у їжу й цінують, бо в ньому є багато вітаміну С, — пояснила бабуся. — Хоча деякі його види — це звичайнісінькі собі бур'яни.

— Тобто ми їмо бур'ян? — здивувалася Флора.

— А я з'їм навіть дві миски цього бур'яну, — промовила Фау. — Борщ знаменитий!

— Я теж! — підтакнула я, промовисто зиркнувши на тарілку з крутими яйцями. Бабуся дозволила нам додати до борщу по пів яєчка.

На друге були налисники зі шпинатом і салат.

— Чудовий бенкет! — похвалив бабусин обід пан професор. — Стільки домашньої їжі я вже сто років не бачив.

— Та ще й такої здорової їжі! — підхопила пані Лаура.

Ми встали — точніше, викотилися — з-за столу. Пані Лаура зібрала посуд, зауваживши, що зараз особлива ситуація, бо ми поспішали провести до хвіртки професора та мого тата. Вони обидва вже мали повертатися додому. Шкода, бо нас чекав прекрасний день. Ми будемо роздивлятися бабусине господарство, а ввечері розпалимо багаття.

Франек потирав руки від радості.

— Я буду головним розпалювачем вогнища!

За годину ми вже чудово знали кожен куточок на подвір'ї й у саду. Нам удалося не понівечити грядок із городиною і не потоптати квітів.

Бабуся показала нам, як ростуть морква, буряки й огірки. Також ми знайшли поряд із ними декілька голівок салату, з якого приготуємо смачний салат на обід. Горох спинався догори на спеціально увіткнутих у землю тичках. Ми дивилися, як бабуся прив'язує до подібних патиків помідори. Ми подавали їй вузенькі смужечки тканини, нарізані заздалегідь, а вона прив'язувала ними стебла рослин.

— Скільки ж тут овочів! — захоплювалася Фаустина.

— Можемо відкрити кіоск! — загорілася Флора. — Продамо всі овочі й накупимо собі морозива!

У бабусі з'явилась інша пропозиція.

— Якщо ви хочете заробити грошей на морозиво, то неподалік від Жаб'ячого Рогу є великі малинники й полуничні поля. Там потрібні робітники. Ви могли би збирати ягоди.

Проте пані Лаура вирішила, що ми поки що замалі. А от за рік, можливо, спробуємо попрацювати, збираючи врожай ягід.

Чудово! Ми могли б купити собі нове обладнання для Таємного Клубу. Я читала у книжках про детективів та кримінальні таємниці, що техніку треба постійно міняти, бо вона весь час удосконалюється. Нам знадобився би годинник із джипіесом.

А далі почалася підготовка до вечірнього вогнища. Ми збирали хмиз у ліску поблизу і складали його в колі, викладеному з каміння. Франек і справді взявся розпалювати багаття.

— Нам потрібне пальне, тепло й кисень, — сказав він.

Ми тільки очі витріщили.

— Я добре підготувався. Перед поїздкою сюди я заходив на сайти скаутів. Думаю, що оберемо форму криниці чи вігвама.

«А він просунутий», — подумала я. І ми кинулися на допомогу, кожна з нас хотіла долучитися до спорудження вігвама.

Увечері вогнище-вігвам уже палало, а ми пекли ковбаски, наштрикнуті на патики. Бабуся ж розповідала нам про своє дитинство.

— Якими ви гралися іграшками, бабусю? — спитала Фаустина.

— Коли я була мала, у дітей не було стільки іграшок, як тепер, — відповіла бабуся. — Ваші кімнати схожі на крамниці іграшок. А в мене їх було всього кілька — ті, що для мене змайструвала мама. Наприклад, ганчір'яна лялька з порцеляновою голівкою. Або м'ячик, наповнений горохом.

— І все? — здивувалася Фло.

— Ну, так. Ще були книжки, які я й досі зберігаю.

— А які ти читала книжки, бабусю? — поцікавилась я.

— Одна з перших, які пам'ятаю, — це книжка про Вінні-Пуха*, — стала згадувати бабуся. — Взагалі, ми чудово розважалися без усіх тих іграшок.

---

* «Вінні-Пух» — книжка британського письменника Алана Александра Мілна, написана 1926 року, в якій ідеться про пригоди хлопчика Крістофера Робіна, ведмедика Пуха та їхніх друзів із Великого Лісу — Кролика, Паця, ослика Іа та Кенги з маленьким Ру.

Грали у класики, лазили по деревах, будували курені над річкою.

Франек був у захваті від бабусиної оповіді:

— Супер! А ми збудуємо курінь?

— Та звісно! Без куреня ніяк не годиться, — відповіла бабуся.

А потім почастувала нас стравою часів свого дитинства — дріжджовими оладками.

Наприкінці ми заспівали пісеньку, яку колись вчили у підготовчому класі:

*Уже багаття гасне блиск,*
*Сідаймо, друзі, в круг,*
*У тиші ночі, в світлі зір*
*Останній потиск рук.**

Вогнище вже догорало. Над нами западала тепла і зоряна липнева ніч.

У мене пробігли мурашки по шкірі. Я вже ніскілечки не сумнівалася. Тут, у Жаб'ячому Розі, нас чекають дивовижні пригоди.

* «Уже багаття гасне блиск» (пол. *Ogniska już dogasa blask*) — пісенька польських гарцерів, складена на основі відомої шотландської народної пісні про дружбу «Auld Lang Syne». (Гарцери — польські пластуни, скаути. — *Прим. пер.*)

# ІДЕМО ДО СТАЙНІ

Наступного дня ми повставали рано. Дослівно позастрибували в одяг, а потім спокійно чекали у черзі до ванної. Франек виконав свою обіцянку й мужньо контролював чергу на вмивання й чищення зубів. У нас уже виросли постійні зуби, тож це важливо. Зате Флора безугавно шепотіла:

— Знову треба в цій черзі топтатися! Один тубзик і один умивальник на стількох дітей!

Ми здивовано подивилися на неї.

— Ну й що?

— Ну й нічого! Так просто, сама зі собою розмовляю, — пробурмотіла Флора і прожогом шуснула за двері ванної, бо якраз настала її черга.

Франек пригрозив, що якщо вона так бурчатиме, то буде в черзі останньою два дні поспіль.

Бабуся мовчки поралася в кухні, бряжчала начинням по плиті.

— Зараз будемо їсти вівсянку, — проказала вона.

Ми зрозуміли, що гігієнічні ранкові процедури пора завершувати.

— Хутчіше! — підганяв нас Франек. — Ви, дівчата, сидите у ванній так довго, що я за цей час міг би провести три серйозні досліди! Разом із Великим Вибухом!

Нарешті нам вдалося почистити всі зуби, помити руки і вмитися. Ми помчали на веранду і зайняли місця за столом. Сиділи спокійно, сподіваючись, що сьогодні станеться щось незвичайне.

Бабуся занесла на таці мисочки з вівсянкою і поставила їх посеред столу. Заохочувати до їжі нас не довелося. Ми так зголодніли, що наминали навіть вівсянку.

І тут двері з гуркотом розчахнулися і на веранді з'явилася пані Лаура.

Бабуся всміхнулася до неї.

— І що ти там вполювала, у тих малинових чагарях?

Пані Лаура тріумфально показала нам кошичок, повен малини.

— Діти, мабуть, ще не знайомі з такою поезією... Але малина така корисна. Я її сполосну — і до вівсянки саме те, що треба.

— Малина вельми рано цьогоріч достигає, — промовила бабуся. — Зараз багато сонця для неї.

За мить пані Лаура повернулася, несучи миску з червоними соковитими ягодами.

Ми вкинули по жмені малини до нашої вівсянки та наминали, аж за вухами лящало. Навіть Фло не нарікала.

Не чекаючи завершення сніданку, бабуся повідомила:

— Сьогодні підете до конюшні.

— Коні так смердять, — скривилася Фло.

Бабуся подивилася кудись далеко за вікно веранди й вела далі, нітрохи не збентежившись:

— Якщо допоможете там прибирати, то, може, сусідський Костек повчить вас їздити верхи.

У всіх запалали очі, а Флора вибачливо зиркнула на бабусю.

Бабуся лишень кивнула головою і промовила:

— У конюшню треба йти не на шпильках і не в шльопках.

Пані Лаура поглянула на свої ноги в рожевих шльопанцях.

— Та ж я не збираюся так іти! — зойкнула вона. — Але чи там безпечно для дітей? Вони ж міські. Не вміють поратися біля коней.

— Значить, навчаться, — відповіла бабуся і вийшла.

За кілька хвилин вона знову з'явилася, з кошиком і термосом.

— Це ваш другий сніданок. А тепер уже збирайтеся, бо я замикаю дім і їду до крамниці. Сьогодні матимемо свіжі молочні продукти, — поквапила нас бабуся.

Ми поспіхом кинулися взуватись, Франек схопив кошика, і ми всі вийшли з дому.

Бабуся хвацько застрибнула на велосипед. Так, у прямому сенсі застрибнула й помчала вперед. Перед хвірткою вона ще обернулася й гукнула до нас:

— Зустрічаємося на обіді о другій!

Ми також відразу вийшли на вулицю і черідкою попрямували до сусідів. Останньою йшла пані Лаура, яка замість шльопанців узула кеди.

Щойно ми зайшли на сусідське подвір'я, відразу відчули, що тут є коні.

— Фу-у-у, — Флора затулила носа. — Я ж казала.

Ми даремно роззиралися, шукаючи коней. Тут узагалі жодної живої душі не було.

— Ви ж не думаєте, що коні вільно гарцюватимуть на подвір'ї? — озвалася Фаустина. — Треба знайти стайню.

Подвір'я було бруковане. У глибині стояв двоповерховий кам'яний будинок. Широкі сходи з дерев'яними зеленими поручнями вели прямо до скляних дверей. Віконниці, розмальовані підковами, також були зелені. Відразу видно було, що коні тут дуже важливі! У саду, що ріс навколо будинку, цвіло безліч квітів, але нам найбільше сподобалися високі рожеві мальви.

— Ой! Малина! — вигукнув Франек і помчав попід сам будинок. Він уже збирався простягнути руку по достиглі соковиті ягоди, що ховалися під листям, коли ми всі зчинили ґвалт:

— Ні-і-і-і-і!

Франек застиг як укопаний.

— Це що — отруйні ягоди? — спитав він здивовано.

— Тобі хіба ще не досить? — пирхнула Фло.

Аж тут утрутилася пані Лаура:

— Франеку, ми гості у чиємусь дворі. Це приватна власність. Тобі не дозволяли заходити в цей сад, тож ти не можеш їсти того, що виросло на чиїхось кущах.

Франек засоромлено ступив назад.

— Дивно, що тут нікого немає, — марудила Флора.

— Гляньте, тут є стежка і вихід, — вигукнув Франек, що вже добрався до протилежного кінця обійстя.

Ми відразу кинулися до нього.

Справді, тут за кущами бузку ховалася хвірточка. Вся зелена, звісно ж, і, ясна річ, розмальована підковами.

— Тут коні головні! — озвалася Фаустина, що досі мовчала.

Франек обережно взявся за ручку і глянув на пані Лауру, що якраз підійшла до нас.

Та кивнула головою — мовляв, можна. Мабуть, їй також було цікаво, що криється за цією зеленою хвірткою.

Як тільки ми зайшли за хвіртку, до нас підбігли собаки. Спершу чорний, схожий на спанієля. За ним другий, білий дворняжка. Пси обнюхали нас, а тоді розгавкалися.

Заливалися гавкотом і шкірили на нас зуби.

— Обережно, — застерігала пані Лаура. — Вони можуть бути небезпечні.

— Скиглій! Лісовик! Поруч! — пролунав раптом голос десь у дворі.

Пси перестали гавкати й побігли у глибину подвір'я.

А до нас ішов засмаглий чоловік у картатій сорочці й високих зелених гумаках.

— Тут усе має бути зелене? — скривилася Флора.

— А, ви Стаськи! — вигукнув господар.

— Що-що?! — здивувався Франек.

— Ну-у-у, — чоловік почухав потилицю, — в нас у селі так називають різні родини. За іменем батька. Стаськи, Юрки... Я, наприклад, із Костеків. Мого тата звати Костянтин. І мене теж звати Костянтин. Але звертайтеся до мене Костек.

Усе стало ясно! Тепер я знаю, чому мене звати Станіслава. Бо мою бабусю так звати. І я зі Стаськів!

— Я зі Стаськів! — сказала вдоволено.

Пані Лаура простягнула до Костянтина руку й промовила:

— Нам дуже приємно... Лаура... а це діти...

— Не діти, а Таємний Клуб Супердівчат, — відрізала Фло. — А ось цей ось, Франек... думає, що ми його візьмемо до Клубу.

Франек підскочив, наче його щось укусило, і кинувся на Фло. Та, не довго думаючи, взяла ноги в руки і зникла у відчиненій стодолі. Ми побігли за ними. На вході наткнулися прямісінько на якогось величезного пташару. Я аж підскочила, бо птах голосно зарепетував:

— Ку-ку-рі-ку-у-у-у! Ку-ку-рі-ку-у-у!

Це був півень. І його кукурікання заглушило всі розмови.

Наче у відповідь, почулося іржання коней. І ось уже всі тварини, що тут жили, озивалися своїми мовами.

— Який же великий півень! — здивувалася пані Лаура, коли цей звіринець перестав лементувати.

А півень якраз показався у всій своїй красі. Він набундючено походжав подвір'ям. Був геть рудий, а ще доволі товстий, а його голову прикрашав пре-гарний червоний гребінь. Навколо лап у нього росло повно пір'я. Воно, розпушене, стирчало і було схоже на товстеленні шкарпетки.

— Він у курячих гетрах! Ви тільки-но гляньте! — гукнула Фло.

Костек махнув рукою на півня і засміявся:

— Нашому стариганові весь час здається, що він тут начальник! Стайню подивитися хочете? — спитав.

— Та-а-а-ак! — на весь голос загукали ми.

І рушили за Костеком. Він був набагато старший за нас, але сказав, що його можна називати на ім'я. Ми зайшли до приміщення з високою стелею. На бетонній підлозі лежали сіно й солома. А на сіні борюкалися Флора з Франеком.

Ми стали над ними.

— Флоро! Франеку! Годі воювати! — нагримала на них пані Лаура.

Франек слухняно намагався вивільнитися із Флориних лабет. Однак та не мала наміру здаватися.

Тоді втрутився Костек. Спритно розборонив вояовників і розставив їх у різні кутки. Пані Лаура підійшла до забіяк і намагалася з ними порозмовляти.

— Ви тут усе роздивляйтеся, — сказав Костек. — А я скочу на склад, принесу чогось смачненького для Малаги.

У стайні було дуже охайно. Тут і там стояли старі відра й миски. На стіні висіли сідла й збруя. Я не знала, як це все зветься, але Фаустина нам усе пояснила.

Проте найбільше нас зацікавили мешканці стайні, точніше, один із них. У глибині приміщення ми помітили коня. Це був вороний кінь, із гривою, кокетливо зачесаною набік, і з білою плямкою на лобі.

— Ой, який у нього смішний сарайчик! — засміялася Фло, підходячи ближче.

— Це стійло! — обурився Франек.

— Коні не живуть у сараях, — підтримала його Фаустина.

— Так воно і є! — підтвердив Костек, що спустився з драбини з мішком моркви. — І відразу до вас прохання: добре зачиняйте стійла, бо тут є такі умільці, що вправно їх відчиняють.

— Справді? — здивувалась я. — Коні самі вміють відчиняти двері?

— Не всі коні, але Малага не може спокійно встояти на місці.

— Ой, яке в неї гарне ім'я! — весело сказала я.

Зате Флора не могла надивуватися, що коні їдять моркву.

Фаустина зневажливо пирхнула:

— Це і так ясно!

— А ти звідки знаєш? — не здавалася Фло.

— Хіба не пам'ятаєш? Мені на день народження подарували абонемент для їзди верхи! — нагадала Фаустина і сміливо підійшла до вороного.

Костек дав нам по кілька морквин. Фау спритно подала їх коневі й ніжно його погладила.

— Гм, — буркнула Фло. — Я думала, це тільки Франек у нас мудрагель, який усе знає.

Проте її ніхто не слухав, бо Костек якраз запропонував нам екскурсію в іншу частину стайні.

— Тут живе тільки Малага, — сказав він. — Але невдовзі тут оселяться ще інші коні.

— Тоді в Малаги будуть подружки, — зраділа я.

— Ми би дуже цього хотіли, бо їй не подобається бути ввечері самій, — підтвердив Костек і пішов у глибину стайні, а ми подалися за ним майже бігом, бо він у своїх зелених чоботиськах ступав дуже широкими кроками. Пані Лаура за нами ледве встигала.

Друга частина стайні виявилася значно більшою. Вікна тут були високо під дахом, а коні стояли в окремих просторих загородках.

— Які смішні малюки! — Флора показала на найближче стійло.

— Це поні. Ми їх тримаємо для дітей, — сказав Костек.

— Як оті поні з казки? — спитала Фло.

— Це особлива порода, — пояснював наш екскурсовод. — Про поні з казки я нічого не знаю.

Коні дуже нами зацікавилися. Витягували шиї і висовували голови зі стійл. Один, цілком сивий, побачивши нас, заіржав, шкірячи зуби.

— Непогані зубки, — промовила пані Лаура.

І тут ми знову почули, як закукурікав півень, а коні відповіли йому іржанням.

— Ану тихо! — гукнув Костек. — У нас гості. Вони допомагатимуть нам прибирати.

Ми відразу скисли, бо думали, що бабуся просто собі пожартувала.

— А все починалося так добре, — засмучено буркнув Франек.

Костек видав нам фартухи, граблі й мітли. Нашим завданням було прибрати стайню і позгрібати сіно й солому. Коли стайня вже аж блищала чистотою, ми разом із Костеком подокидали у стійла свіжої соломи. Коні люблять чистоту, а що стійла — це їхній дім, то тут усі дбають про порядок. Ми дали сіна й Малазі, бо вона дуже його любить. Коли прибирають у стійлі, вона собі хрумкотить і поводиться спокійно. Однак жодних натяків на те, що ми будемо їздити верхи, не було.

— Бабуся казала, що нагородою за прибирання буде їзда верхи, — не стрималася Флора.

— Кажеш, нагородою? Такі нагороди я видаю тільки тоді, коли не сумніваюся, що ви впораєтеся з конем, — відповів Костек і запропонував: — Сьогодні я розповім про коней, їхні звички і покажу вам, як їздити.

— Фаустина вже вміє їздити, — озвалася набурмосена Фло.

— Значить, у мене буде помічниця, — сказав Костек.

Потім вони удвох із Фаустиною розповідали нам про звички коней, правила безпеки під час їзди, а також про те, як найкраще чистити тварин. Ми вирішили, що розпочнемо їздити верхи, як тільки трапиться нагода. Нам дуже не хотілось прощатися з кіньми, проте нас чекали інші несподіванки. Сьогодні ми ще могли подивитися курник і свинарник. Коли настала обідня пора, Костек запросив нас на біґос*, але ми не могли ним спокуситися. На щастя! Ну бо що таке отой біґос?

— Бабуся чекає нас на обід, — пояснила пані Лаура.

Тож ми помчали назад додому. І це було чудово, бо ж бабуся приготувала неабияку несподіванку. Налисники з сиром і полуницями!

---

* Біґос — традиційна польська страва з капусти та м'яса. — *Прим. пер.*

# НОВА ЗАГАДКА

Коли вранці наступного дня ми повиповзали з ліжок, усе було якесь інакше, ніж зазвичай. Тихіше. Ми не одразу це помітили.

— Що це значить? — здивувалася Флора.

— Коли буде сніданок? — скривився Франек. — Я дуже голодний.

Ми крутилися по всьому будинку й розшукували бабусю.

Але в будинку її не було. Зате з ванної лунали веселі звуки. Це пані Лаура під час ранкових процедур виспівувала добре нам відомі італійські шлягери.

Ми стали в чергу до ванної. Точніше, Франек нас поставив. Ми довго стовбичили під дверима, слухаючи концерт. І всі дивилися на Флору. Нарешті я не витримала...

— Ти маєш щось зробити, — благально промовила я.

Флора постукала у двері, намовляючи свою маму виходити.

— Вже? — здивувалася пані Лаура. — Ви сьогодні раненько повставали!

І знову залунали слова зворушливих пісень.

— Ми голодні і хочемо пісяти! — хором заверещали ми.

Пані Лаура замовкла. За мить висунула носа назовні, щоби переконатися, чи ми і справді далі стоїмо під дверима.

— А про що йдеться в тих сумних піснях? — спитав Франек.

У відповідь ми почули її замріяний голос:

— Про кохання в тих піснях, про кохання. Ох ці італійці!

— Мамо, ти постійно говориш про цих італійців! — докірливо промовила Флора.

Пані Лаура раптом споважніла й сказала:

— Тут дехто голодний. А сьогодні готую сніданок я. З вашою допомогою.

— Ні-і-і-і! — вирвалося у всіх нас.

— Ми хочемо налисників бабусі Стасі! — вигукнув Франек.

Ми підхопили:

— Налисники, налисники! Де бабуся? Де ж бабуся?! — допитувалися.

Пані Лаура спокійно пояснила:

— Бабуся зайнята. У неї гості.

Але ми не хотіли жодних пояснень і скандували:

— На-лис-ни-ки! На-лис-ни-ки!

Пані Лаура невдоволено похитала головою і взялася готувати сніданок.

Першою не витримала Флора й спитала:

— Мамо, то що сьогодні буде на сніданок?

— Сосиски, — лаконічно відповіла пані Лаура.

— Що, знову оті кислющі сосиски? — скривилася Флора. — Я думала, вони вдома залишилися.

Раптом двері різко відчинилися і на порозі з'явилася бабуся. У капелюсі, з сачком для метеликів у руках.

— Що тут коїться? — грізно спитала вона. — Вас чути на протилежному кінці села!

Ми мовчки втупилися у неї.

Нарешті пані Лаура пробелькотіла:

— Бунт на кораблі. Діти не хочуть їсти сосисок.

— Що ж поробиш. Будете голодні, — рішуче промовила бабуся й зачинила за собою двері.

І тільки ми її й бачили.

Ми стояли наче вкопані. Тобто як? Ми сьогодні залишимося без сніданку?

Я вирішила, що треба рятувати ситуацію:

— А може, сосиски все-таки будуть смачні?

Флора стенула плечима.

— Ей, ми Таємний Клуб! Ви ще про це пам'ятаєте? — вела далі я. — Отож сідаємо снідати.

— А ми не всі належимо до Клубу, — буркнула Флора, дивлячись на Франека.

Це було не дуже чемно. Може, Фло встала сьогодні з лівої ноги. Тож я взяла ситуацію у свої руки. Наказала Франекові порізати помідори й покраяти хліб, дівчата мали намастити його маслом, а я вирішила допомогти пані Лаурі зварити сосиски.

Мама Фло глянула на мене з подивом.

— Нічого собі! Справжня лідерка з голови до п'ят, — промовила вона.

— Я керівничка Таємного Клубу Супердівчат! — додала я гордо.

— І суперхлопців! — гукнув Франек.

Фло лише стенула плечима й буркнула:

— Як і буває у всіх керівників, у тебе найлегше завдання. Сосиски варити! Теж мені ще!

Я на неї не зважала. У всіх часом бувають складні дні.

Коли сніданок уже був готовий, ми зібралися на веранді за столом.

— Дивіться! Бабуся! — вигукнув раптом Франек, показуючи на сад.

Ми приклеїлися носами до вікна. Бабуся сиділа за садовим столиком разом з якоюсь жінкою. В обох були на головах подібні капелюхи. Вони нахилилися над столиком і, здається, обговорювали щось дуже важливе.

— Що вони там роблять? — поцікавилася Флора.

— В карти грають! — тріумфально вигукнув Франек.

— А я вам кажу, що вони щось задумали, — випалила Фло.

Почувши цей вигук, на веранду вийшла пані Лаура.

— Ваш сніданок холоне, — зауважила вона. — А бабусі ви могли б дати трохи часу для себе.

Ми з невдоволеними мінами залишили свої стратегічні позиції біля вікна й повернулися до столу.

За мить ми вже наминали сосиски і хліб із помідорами.

— Якісь не такі ці сосиски, — промовила Флора. — Не такі кислі, як удома.

Пані Лаура підморгнула до мене.

— Просто у бабусі, на свіжому сільському повітрі, вони більше смакують, — відповіла вона. — А тепер запрошую Клуб поприбирати зі столу.

Ми позбирали посуд.

— Усе кладемо в посудомийну машинку, — скомандувала я.

— А тут її немає, — почули ми раптом бабусин голос.

— Бабусю! — радісно вигукнули ми.

— Саме так. Я бабуся без посудомийної машинки. Тож закочуйте рукави — і до роботи. А потім із кимось вас познайомлю, — сказала бабуся.

Тоді ми помітили, що в неї за спиною стоїть якась жінка.

Я аж нетямилася від цікавості. Хто ця жінка і чому ми маємо з нею знайомитися?

Тим часом, на радість пані Лаури, ми всі одностайно кинулися мити посуд. Ну, хіба що без Флори.

— Ще хтось подумає, що ми в захваті від таких занять, — зітхнула вона, але відразу приєдналася до команди, що мила посуд.

— Яка одностайність поглядів у Таємному Клубі Супердівчат! — зауважила пані Лаура.

— І суперхлопців! — відразу додав Франек, але тут же отримав від Флори штурхана.

Зате бабуся розповіла нам дуже цікаву історію:

— Я колись була гарцеркою. І знаєте що? Ми мили посуд після того, як весь табір поїсть! А нас було більше сотні й гарячої води ми не мали.

— І що, ви мили посуд у холодній воді? — втрутилася Фау. — Чи, може, у вас була ота чудова рідина для посуду з реклами? Бо я чула, що досить лише однієї краплі — і жиру наче й не було.

Бабуся розсміялася й підморгнула нам:

— І я чула цю рекламу. Але на телебаченні люблять трохи з нас пожартувати! Я відкрию вам мій найнадійніший спосіб миття посуду. Із гарцерських часів, — промовила вона.

Ми зацікавлено подивилися на неї. Бо що такого особливого може бути у митті посуду?

— Спершу ми терли посуд піском і тільки потім його споліскували, — пояснила бабуся.

— Гарно придумали! — здивувався Франек.

— Авжеж! У селі люди знають чимало способів, щоб вирішувати непрості завдання, — додала таємнича незнайомка, яка оце зараз уперше озвалася.

— Хоча і в нас тут є деякі нез'ясовані загадки, — вела далі бабуся.

Я нашорошила вуха. ЗАГАДКИ! Тут є загадки! Ми вже три дні витратили, шукаючи чогось таємничого, а тепер довідуємося найважливіше. Це щось неймовірне.

Я на радощах ущипнула Флору, а та й собі щипонула Фау. Та, не довго думаючи, ущипнула мене. І так, перещипавши одна одну, учасниці Таємного Клубу Супердівчат стали майже струнко перед бабусею та її таємничою знайомою.

— Лауро, Франеку, закінчуйте мити посуд і йдіть до нас, — покликала бабуся.

Пані Лаура поквапно витерла останню тарілку, а Франек поставив її у шафку.

— Хочу познайомити вас із Геленою. Вона — дочка моєї приятельки, Клементини. Гелена працює в бібліотеці. Вона дуже розумна дівчина.

— Та ну, — нетерпляче мовила Гелена і приязно нам кивнула. Усміхнувшись, скинула з голови свій старомодний капелюх, з-під якого розсипалося неслухняне руде волосся.

— О-о-о! — вирвалося у Фаустини. — Ви ну зовсім як Енн!

— Гелена, а ніяка не Енн, — виправила її Флора.

Але пані Гелена підтримала Фау:

— Здається, я знаю, про що йдеться. Ваша подруга вважає, що я схожа на Енн із Зелених Дахів*. Можете називати мене на ім'я — просто Геля.

---

* «Енн із Зелених Дахів» — серія книжок канадської письменниці Люсі-Мод Монтгомері про рудокосу дівчинку із садиби під назвою Зелені Дахи в містечку Ейвонлі. Перша книжка побачила світ 1908 року й одразу стала популярна.

Однак Флора не здавалася і спитала у Фаустини:

— А ти звідки знаєш оту Енн?

— Особисто я її не знаю. Тобто ніби й знаю, але не можу з нею побачитися, — відповіла, уже дратуючись, Фаустина. — Це героїня книжки. Моя мама, коли була маленька, обожнювала «Енн із Зелених Дахів». А тепер ми її разом читаємо.

Флора трохи втихомирилася:

— Може, це й добре — оті читання разом. Але я не чула про ту Енн і Зелені Дахи.

Бабуся, що зацікавлено прислухáлася до нашої розмови, промовила:

— Ще не вечір. Геля працює в нашій бібліотеці. Ви можете у неї взяти «Енн із Зелених Дахів». Увечері почитаємо.

— Суперова ідея! — загорілась я. — Пані Лаура могла би до нас приєднатися!

Флора, проте, не була в цьому впевнена. Бо ж вважає, що читати на канікулах — страхітливо нудно.

І відразу сказала, що вона сюди приїхала відпочивати, а не вчитися.

Однак ми звернули увагу на щось зовсім інше.

— Звісно, я залюбки дам вам «Енн із Зелених Дахів». Якщо у нас знайдеться ще якийсь примірник, — промовила Геля і засмучено подивилася на бабусю.

Бабуся покивала головою:

— Сьогодні зранку Геля прийшла до мене після того, як побувала у бібліотеці. Зникло кільканадцять книжок. І це вже не вперше цього місяця.

Кожна з нас застигла як вкопана. Точніше, хто застигла, а хто застиг — бо ж разом із нами був Франек. Він же й озвався перший:

— Себто з бібліотеки зникають книжки. А ви, пані Гелено, когось підозрюєте?

— Називайте мене Гелею, добре? — попросила бібліотекарка. — Я нікого не підозрюю. Тут люди порядні. Ми всі одне одного знаємо. Раніше ніколи нічого такого не ставалося.

А потім додала:

— Досі ніхто не виносив книжок із бібліотеки. Ну, може, часом хтось міг забути, де поклав книжку вдома, й мусив кілька днів її розшукувати.

— Гм. Тоді це, мабуть, якийсь книгогриз, — втрутилася до розмови пані Лаура.

Ми здивовано подивилися на неї.

— Книгогризами називають людей, що надзвичайно люблять книжки і дуже багато їх читають, — пояснила Флорина мама.

Її дочка, трохи подумавши, додала:

— Тоді можна сказати, що Фаустина і Франек — книгогризи!

Франек аж наче підріс від гордості, а Фаустину обілляв рум'янець.

— Так. Це гарне спостереження, — згодилась пані Лаура. — Але гадаю, що це не через них зникли книжки.

— А цього ми ще не знаємо, — злісно всміхнулася Фло.

Тоді я промовила:

— Таємний Клуб Супердівчат візьметься за цю загадку!

Франек непомітно штурхнув мене, і я відразу виправилася:

— Таємний Клуб Супердівчат з одним суперхлопцем на борту!

Тоді Франек хутенько запропонував:

— Ми хочемо сходити до бібліотеки, щоб знайти докази й оглянути місце злочину.

Запала тиша. Всі напружено дивилися на Франека.

— Так роблять фахові слідчі, — пояснив він.

А потім шквалом посипалися нові ідеї.

— Нам потрібен список найактивніших читачів, — сказала я.

— Ми маємо знати, які саме книжки зникли! — додала Фау.

— І нам треба точні дати, коли зникали книги, — закінчила Фло.

Гелю дуже здивувало те, як почали розвиватися події. Проте пані Лаура пояснила їй, що Таємний Клуб Супердівчат діє вже якийсь час. Розповіла, що ми вже розв'язали цілих три загадки.

— Молодці! То, виходить, у мене є шанси знайти книги? — зраділа Геля.

Вона пообіцяла, що завтра після сніданку ми підемо в бібліотеку. Зможемо ознайомитися з усіма подробицями справи на місці.

Геля пішла, а нас поки що чекали більш приземлені завдання — наприклад, виривати бур'ян у бабусі на городі. Виривання бур'янів зветься прополюванням. Але бабуся каже, що це поління. Так казала її бабуся й бабуся її бабусі. І тому так і треба казати.

Коли прополюєш город, треба повиривати всі непотрібні рослини, себто бур'яни, що заважають рости корисним рослинам. Бабуся каже, що бур'яни глушать культурні рослини, на яких через це з'являється менше плодів і квітів.

Бур'янів є шалено багато видів. У бабусі на городі найкраще ростуть пирій, лобода, осот, а ще подекуди кропива і лопух. Пирій схожий на високу траву. У нього таке міцне коріння, що, коли його висмикуєш, воно дуже часто обривається й залишається в землі.

Лобода — це рослина з високим стеблом, з листками, схожими на ромашки. З лободи варять юшку! А ще бабуся сказала нам, що цей бур'ян колись рятував людей від голодної смерті. Коли не було чого їсти, люди рвали лободу і варили з неї юшку, якою могли насититися. От як просто придумали.

Бур'яном є також осот, що схожий на кульбабу й має жовті квітки з нерівними пелюстками. Якщо розірвати його порожнє всередині стебло, воно пускає білий сік і залишає на руках коричневі плями. Коли квіти осоту відцвітають, із них можна здмухувати білі парашутики!

У лопуха листя велике, наче парасоля. Він прикидається терпким ревенем і буяє у всяких закапелках. Бабуся каже, що, коли квіти лопуха відцвітають, на їхньому місці з'являються реп'яхи з фіалковим відтінком. І вони дуже люблять чіплятися до одягу.

Але найгірше — це кропива! Вона чаїлася між високими гичками моркви і несподівано — хоп! — обпікала нам руки. У кропиви на стеблі й листках є тоненькі пекучі волоски. Пухирці від кропиви, щоправда, швидко зникали, але пекло нестерпно. Ми виривали бур'яни з грядок, де росла петрушка, морква й полуниці. Кілька разів ми висмикували маленькі морквинки або кущики полуниць, особливо коли їх обплітав пирій. Бабуся не підпускала нас тільки до кропу, попередивши:

— Навіть я ледве розрізняю молодий кріп і бур'яни, що хитро під нього маскуються.

Але в нас і так було море роботи!

— Коли я була мала, ото тоді бур'яни росли! Деякі з них уже позникали, бо люди, борючись із бур'янами, користуються хімікатами. Вже немає куколю, у нього були такі гарні квіточки, наче лілії. Кукіль, щоправда, отруйний, але сьогодні він у «Червоній книзі». Я чула навіть про спеціальні садочки* для бур'янів, — розповідала бабуся.

* Борючись із бур'янами, люди використовують хімікати, через це деяким видам рослин загрожує зникнення. Тому до заходів з охорони видів належить також створення спеціальних садків для бур'янів.

Коли ми вже дуже потомилися, а сонце почало припікати, бабуся приготувала для нас почастунок у саду. За грядками на траві розстелила покривала, а на них поставила тарелі з розмаїттям наїдків. Ковбаски, помідори з редискою і найсмачніший на світі хліб, спечений ще перед нашим приїздом. Ми вмолотили все, і бабуся дозволила нам їсти десерт прямо з кущів. Ми помчали до малини, що густо росла попід парканом, обережно оминаючи ромашки, що буяли у траві. Зривали з високих кущів солодкі ягоди, і ті танули в роті. Тільки доводилося бути обережними, бо малина страхітливо колюча.

Так минув день, у який ми довідалися про таємницю бібліотеки.

## У БІБЛІОТЕЦІ

Наступного дня ми всі були як потовчені. Від виривання бур'янів у нас боліла спина, ноги й руки.

— У мене крепатура на литках! — нарікала пані Лаура. І відразу взялася присідати, нахилятися й розтягуватись. А вона, до речі, працювала в найкращих умовах. Коли полола, могла сидіти на розкладному ослінчику. І в бабусі був такий ослінчик. Коли одна з них ішла з городу, ми починали лічилку — кому дістанеться ослінчик:

*Ене, бене, рабе,*
*Ковтнув бузько жабу.*
*Жаба зовсім не злякалась,*
*До ослінчика дісталась!*

*Раз, два, три —*
*Сидіти будеш ти-и-и-и!*

І двічі випало на мене! Я зручненько вмощувалася на ослінчику й висмикувала бур'яни. Щоправда, перший раз це тривало хвилин п'ять, коли якраз не було бабусі, а потім аж цілі сім хвилин, поки пані Лаура десь ходила, але мене і те потішило!

— Не нарікайте! — промовила бабуся, коли ми ледь повзли на сніданок. — Добре наїдайтеся зранку. Ви маєте бути у формі, бо сьогодні вас чекає похід до бібліотеки.

У нас загорілися очі.

— Бібліотека! Нарешті починається справжнє розслідування! — зраділа я.

Франек нашорошив вуха і щось шепнув до Флори. Зате пані Лаура мужньо займалася розтяжкою.

— Флорина мама знає кілька непоганих вправ, — сказала бабуся, поглядаючи на неї. І відразу сама нагнулася й торкнулася землі всією долонею.

— Бабусю! Як у тебе це вийшло?! — здивувалась я. — Ти що — пластилінова?

— Ні, я радше гнучка, мов пантера, — сказала бабуся. — Бо їжджу на велосипеді. І цілий рік ходжу до басейну і на йогу.

Пані Лаура скинула темні окуляри, що затуляли їй пів обличчя, й уважно подивилася на бабусю.

— У Жаб'ячому Розі є заняття з йоги?

— Раз на два тижні, у спортзалі початкової школи. Але всі місця вже зайняті, — попередила бабуся й запропонувала: — Може, будеш вести ранкову гімнастику для дітей?

Пані Лаура бадьоро підскочила:

— Звісно! Чудова ідея. Взувайте спортивне взуття — й вирушаємо до річки!

Нам не треба було двічі повторювати. І вже невдовзі ми тренувалися на лузі над річкою. Тільки Флора щось там собі скиглила про те, як їй не подобається та гімнастика.

Спершу розминка. Ми кілька разів понахилялися і покрутили тазом. Потім були присідання й випади. Мінівідтискання і вправи у парах.

— Ну що, друзі? Готові? — гукнула пані Лаура після першого кола вправ.

— Ми готові до другого сніданку! — рішуче озвалася Флора.

Ми її підтримали, бо вже у всіх бурчали животи.

Однак виявилося, що до другого сніданку ще довго. Тренування тільки розпочалося! Ми порахувалися, і пані Лаура поділила нас на групи. Ми змагалися попарно, а вона була суддею. Ми мали бігати, скакати у мішках і стрибати по-жаб'ячому. Найбільше спритності було треба, щоб перебратися через загорожу, яка відмежовувала бабусин луг від сусідського обійстя з великим спортивним майданчиком.

Ми з Франеком були в одній команді. Виявилося, що я, керівничка Таємного Клубу Супердівчат, зовсім не вигравала у цих змаганнях. Флора з Фаустиною мали трохи ліпші успіхи. Зрештою, чого тут дивуватися, адже коли я познайомилася з Фаустиною, то назвала її дівчинкою-павуком.

Проте я міркувала над тим, чи пані суддя була справедливою. У Франека теж виникли певні підозри, він зашипів мені на вухо:

— Суддю на мило!

Але це все байдуже! Адже нас чекає найважливіша подія цих канікул — нарешті ми йдемо у бібліотеку!

Бібліотекарка Геля прийшла по нас ще до обіду. Нас уже трохи розбирала нетерплячка, і ми почали

боятися, що вона може взагалі не прийти. Коли Геля нарешті з'явилася, ми всі аж засяяли. Франек помітив її ще біля хвіртки, і ми гуртом побігли її зустрічати.

Геля була в довгій блакитній спідниці, білій блузці й тому самому солом'яному капелюсі, з-під якого стирчали пасма рудого волосся. Фаустина, звісно, не втрималася, щоб не сказати:

— Тепер ти ще більше схожа на Енн із Зелених Дахів.

— Сьогодні трохи почитаємо про Енн, — пообіцяла Геля.

— А у вас є книжки про винаходи? — спитав Франек.

— І про космос! — додала Флора.

Геля всміхнулася:

— Не переймайтеся. У нашій бібліотеці знайдеться щось цікаве для кожного з вас. А тепер — вирушаємо!

Пані Лаура вирішила залишитися і приймати сонячні ванни у саду. День заповідався дуже теплий. Бабуся теж мала інші заняття. Тож похід був тільки для нас!

Ми тупцювали слід у слід вузенькою доріжкою, що спиналася високо догори. Стояла спека, але нам було добре у затінку старих лип, що росли вздовж дороги. Довкола витали солодкі пахощі літа.

— Так гарно пахнуть лише липи! — захоплено сказала Геля.

Ми втягували ніздрями повітря, вбираючи у себе п'янкий, солодкий запах. Франек додав:

— Бабуся нам казала, що липи — це довговічні дерева. Найстарішій липі в Польщі понад п'ятсот років!

— Це правда! Наші липи також давні, — відповіла Геля. — Може, їм і не пів тисячі років, але вони ростуть тут від часу заснування села, а це було триста років тому.

— А справді, чому дерева так пахнуть? — міркувала Флора.

— Улітку всі рослини змагаються за бджіл! Липі це дуже добре вдається, вона приваблює безліч комах. Вона дає стільки запахущого нектару, що бджоли летять до неї дуже охоче, — пояснила Геля.

— І завдяки цьому в нас є багато смачнючого липового меду. Я вже був на пасіці, — гордо промовив Франек.

Геля відразу нам сказала, що в Жаб'ячому Розі також є пасіка і що ми можемо туди вибратися.

— А я думала, що в Жаб'ячому Розі тільки жаби, — зареготала Флора.

«Гммм... ну зовсім як одна із представниць жаб'ячого гурту», — подумала я.

— Про жаб із Жаб'ячого Рогу я вам ще розповім, — таємниче промовила Геля.

І так, весело перемовляючись, вдихаючи пахощі липового цвіту й ховаючись від сонця, ми добралися до бібліотеки.

Дорога впиралася у дерев'яний старий будиночок із ґанком, розташований за школою. То там, то сям зі стін облущилася фарба, але приємний сірий колір зберігся. Білі віконниці чудово контрастували з темним дахом будівлі.

— Ось це наша бібліотека, — Геля гордо показала нам своє королівство.

Будинок, здається, на всіх нас справив неабияке враження. Вигляд він мав і гарний, і таємничий.

Ми мовчки піднялися дерев'яними східцями на затінений ґанок, зарослий плющем. Тут стояли горщики з різноколірними квітами. Трохи збоку — металевий столик, а навколо нього — стільці, на яких лежали подушки.

— Це затишна читальня під хмарами, — пояснила Геля. — Сідайте, принесу наш бібліотечний лимонад, щоб ви освіжилися.

За мить вона повернулася, несучи чималий дзбанок.

— Збігай-но по склянки. Вони у першій кімнаті від входу, — попросила бібліотекарка Франека.

Той зрадів і помчав усередину. Невдовзі повернувся з дуже задоволеною міною і кошиком із посудом. Ми запитально подивилися на нього. Він стенув плечима:

— Я перший із Таємного Клубу Супердівчат переступив поріг бібліотеки! — промовив він. — І, здається, про щось починаю здогадуватися!

— Тебе не прийняли до Таємного Клубу Супердівчат! — вкотре вже нагадала йому Флора, а той, ясна річ, геть цим не переймався.

Ми поспіхом випили смачнючий лимонад і були готові до відвідин бібліотеки.

Геля кивнула нам, і ми знову вишикувались вервечкою. Кімнати були малі, а коридори вузькі, тож доводилося стояти дуже близько одне від одного.

Усередині бібліотеки панувала приємна прохолода. Вузькі блакитні двері вели до зали, звідки можна було пройти до кількох інших приміщень. Над дверима до них висіли дерев'яні таблички зі старанно написаними фразами:

ТІЛЬКИ ДЛЯ ДІТЕЙ
ЗАХОДЬ СЮДИ, ЯКЩО ТОБІ ВЖЕ Є 12 РОКІВ
ТІЛЬКИ ДЛЯ РОМАНТИКІВ

Біля кожного напису була намальована жаба. Одна — з букетом квітів, друга — у короні, а третя — на самокаті.

Також була табличка з написом «ДЛЯ ВЕЛИКИХ», що вела на поверх вище.

Тільки одні двері, у глибині зали, не мали таблички і відрізнялися від решти. На них було більше подряпин, а їхня ручка сумно звисала. І саме ці двері притягнули мій погляд.

Тим часом Фаустина, не звертаючи уваги на таємничий вхід, спитала:

— А нам у яку кімнату заходити?

— Ідіть за мною, — промовила Геля. — Запишу вас до бібліотеки.

Ми зайшли до маленької кімнати. Вона була справді крихітна. Мацюпунька. Під стіною стояв старосвітський письмовий стіл блакитного кольору. Поряд був стелаж із численними маленькими шухлядками.

— А що в тих шухлядках? — поцікавилася Фло, а я допитливо подалася за нею.

Ми взялися відсувати шухлядку за шухлядкою.

— Е-е-е-е, — зітхнула я. — Тут нічого немає. Самі тільки картки!

— Це абетковий каталог нашої книгозбірні. А ці картки — це опис кожної книжки, — розтлумачила нам Геля. — Сьогодні такий каталог — рідкість. Будьте з ним дуже обережні.

Вона вийняла з шухлядки картку і вела далі:

— На кожній картці записано все, що ми знаємо про книжку: назва, автор, рік видання...

— А я ходжу до бібліотеки, у якій все можна знайти в комп'ютері! — перебив її Франек.

Геля показала на комп'ютер, що стояв на письмовому столі.

— У нас також усе є в комп'ютері. Безперечно, так легше шукати назви, які тебе цікавлять. Але цей паперовий каталог постійно з нами. Це традиція.

— Уффф, — зітхнув Франек. — А я вже думав, що, аби розгадати загадку, нам доведеться проглянути тисячі карток із цих шухлядок!

— Бачу, ця таємниця вас заворожила, — озвалася Геля.

— Саме так. Це завдання Таємного Клубу Супердівчат — розкривати таємниці, — поважно сказала я.

Далі Геля повела нас до приміщення, на вхідній табличці якого була жаба на самокаті. Виявилося, що це простір для дітей. Там був матрац, іграшки і, звісно ж, дитячі книжки. Нам було шкода часу на ігри, тож я вирішила прискорити розвиток подій:

— Гелю, ти вже знаєш, що ми — Таємний Клуб. Дорослих ми зрідка посвячуємо в наші справи.

— Авжеж, — підхопила Фло.

— Але цього разу нам потрібна допомога. Розкажи, що насправді сталося у бібліотеці? — вела далі я.

— Ну що ж... — безпорадно розвела руками Геля. — У нас зникають книжки і дотепер не повертаються. Оце і все.

— Але ж ти мусила щось помітити, — нетерпляче крутилася Флора. — Може, є якісь сліди.

Геля мовчки підійшла до столу і принесла чималий зошит у блакитній обкладинці.

— Це бібліотечний журнал.

— Зовсім як наші Таємні Щоденники Таємного Клубу, — зраділа я.

Геля додала:

— Я вже два роки веду цей журнал, відколи почала керувати бібліотекою. Тут я записую важливі події: хто до нас приходив, які потреби в наших читачів. Якщо у бібліотеці сталося щось важливе, то маю занотувати це саме тут.

Франек вихопив журнал із Гелиних рук і взявся його поспішно гортати.

— Ой! — зойкнув він. — Минулого тижня книги тричі брав Костек. Цього тижня тут були якісь Іванко й Марійка.

— Іванко й Марійка — це кузени Костека. А він сам часто приходить до бібліотеки. Це він впорядкував нашу читальню під хмарами.

— А я думала, що Костек тільки кіньми займається, — кинула Флора. — Оту Малагу він, певно, найбільше любить.

— Малага — це мій кінь, — несподівано сказала Геля. — Просто вона живе в Костековій стайні.

— Дивно, — промовив Франек. — Ти нічого не казала про те, що в тебе є кінь.

Геля почервоніла, ніби приховувала якусь таємницю.

Ми не знали, як поводитися, тож втупилися усі в журнал.

— Якщо підсумувати навчальний рік, то найчастіше книжки брав Марек. Марек Ковальський. А найбільше книг загубила Марійка, — сказав Франек.

Поки ми гортали бібліотечний журнал, Геля спокійно заварювала чай у великому металевому чайнику. Досить було тільки глянути на чайник, щоб зрозуміти, що ним довго користувалися.

Тоді мене осінило:

— А куди ведуть ці подряпані двері? — спитала я.

— Подряпані двері? — здивувалася Геля. — А... це ти про наше сховище. Колись ми там зберігали книжки, а потім я їх перенесла на книжкові стелажі. Тепер у нас набагато менше нових надходжень. Ощадимо. А у сховищі, мабуть, миші господарюють...

— А нам можна туди зайти?

— Там купа всякого мотлоху. І повно порохняви, — різко сказала Геля.

І відразу почала розливати чай у маленькі металеві горнятка.

— Таємний Клуб знайшов якийсь слід? — спитала вона, наливаючи чай, що пахнув м'ятою.

— Ми над цим працюємо, — промовив Франек.

Ми наминали пісочні тістечка, а ще чорниці з цукром і попивали чай. Франек не здавався і весь час говорив про розслідування. Ми обоє снували припущення про таємницю бібліотеки.

— Якщо тут за останні тижні найчастіше бував Костек, а крім нього лише Іванко та Марійка, причому Марійка побила всі рекорди з кількості загублених книг, а найбільше книжок у навчальному році взяв Марек Ковальський, то... — Франек замовк.

— То можемо припустити, що список підозрюваних у нас готовий, — сказала я впевнено.

— Отож у наш список потрапили: Іванко та Марійка, Марек і Костек! — тріумфально оголосила Флора.

— Як ти додумався до цього, Каєтане*? — таємниче спитала Геля.

Ми розсміялися. Бо серед нас не було ніякого Каєтана! Проте я швидко перестала сміятися.

---

* «Як ти додумався до цього, Каєтане?» — знаменита фраза з книжки Мацея Войтишка «Таємниця шифру Марабута».

Зрозуміла! Згадала, що у списку книжок, що зникли, була «Таємниця шифру Марабута»*. Це улюблена книжка мого тата! Про Бромбу, Каєтана Хрумся і Кота Макавіта. Так у чім же тут річ?

* «Таємниця шифру Марабута» (1981) — детектив для дітей Мацея Войтишка. Головні герої — безстрашні детективи Каєтан Хрумсь та Кіт Макавіт.

## ПО ЧОРНИЦІ

Я розповіла учасницям Клубу Супердівчат про книжку «Таємниця шифру Марабута». Франека теж запросила до обговорення. Він часто стає нам у пригоді, а я не хотіла б, щоб він почувався так, ніби ми його відштовхуємо. Нам не вдавалося знайти жодного зв'язку між героями детективу й таємничими зникненнями книжок із бібліотеки.

— Ми маємо взяти цю книжку, — сказав Франек. — У ній точно криється розгадка таємниці.

— Але ж вона у списку книжок, які зникли, — нагадала Фаустина.

Франек похнюпився:

— Шкода, що у нас тут немає комп'ютера. Ми могли би купити електронну книжку.

— У моєї бабусі є комп'ютер, — впевнено сказала я.

— Справді? — здивувалася Фло.

Проте виявилося, що, хоча бабуся й мала ноутбук, доступ до інтернету в Жаб'ячому Розі був лише у школі. А під час канікул школа зачинена! Отож із покупки електронної книжки в інтернеті вийшов пшик.

— Ну що вдієш, — сказала я. — Доведеться обійтися без цієї книжки. Якась розгадка точно є. Кажу вам: ми маємо дослідити оте бібліотечне сховище, яким ніхто не користується.

— Але як? — доскіпувався Франек. — Ми ж не можемо туди вломитися!

— А що як піти на нічну екскурсію і цілком випадково заблукати десь неподалік бібліотеки? — запропонувала Фло. — І залізти туди, наприклад, через вікно?

У мене виникли певні сумніви.

— А як ми туди потрапимо без ключа? — Та в мене відразу ж загорілися очі: — Я була на нічній екскурсії з Анєлою! Колись, ще на початку підготовчого класу, ми стежили за Амалією, асистенткою професора Каґанека! І за тим малим!

— Доцентом Краваткою, — нагадав мені Франек.

— Так! Але в нас тоді був ліхтар і мотузка. Здається, я бачила це все у бабусі, — додала я.

— А це хіба не називається «вломитися»? — втрутилася Фаустина, що досі мовчала.

— Ми йдемо на нічну вилазку! — гукнули їй ми.

Однак пропозицій, як пробратися всередину, не було. Але нічого — пізніше щось вигадаємо. Маємо ще доволі часу, а зараз ми тішилися, що нас чекає інша прогулянка — до лісу.

Цього ранку, відразу після того як ми поснідали, пані Лаура попросила нас вдягнути довгі штани і щось на довгий рукав. Також сказала взяти кепки або хустки на голову.

— У лісі купа комах. Мухи, кліщі й комарі. Ви їх можете дуже зацікавити. Тому краще подбати про належний захист.

— Я читав, що в комарів дуже складний ротовий апарат, — проінформував нас Франек. — Нам здається, що це начебто голка, а насправді це гнучка трубка, що розгалужується.

Флора скривилася.

— Ротовий апарат? А це що таке? — здивувалася вона.

Тоді Франек пояснив, що це наукова назва тієї частини голови комарів, якою вони добувають їжу.

— Тобто рильце? — уточнила Фау.

— Можна сказати й так! — погодився Франек.

— Ну, а якщо комарі й мухи мають ротові апарати, якими можуть уколоти, то зараз пропоную добре намаститися, — обірвала нашу розмову пані Лаура.

І дістала торбу, в якій було повно пляшечок і тюбиків. Ретельно відібрала декілька з них і попшикала нас аерозолем, що мав відлякувати комарів та кліщів.

За якийсь час ми стояли у хмарі випарів від засобів, що мали вбивати комарів.

Бабуся не на жарт розічхалася.

— Тепер уже точно до вас жоден комар не доторкнеться, — сказала вона й додала: — Але замість хімії краще було би скористатися цитриновою олією. Це натуральний засіб від комах.

Пані Лаура, однак, мала іншу думку й стверджувала, що лише хімія може протистояти комарам.

— А що ми робитимемо в лісі? — стала допитуватись Фау.

— Ми йдемо по чорниці, — сказала бабуся.

— По чорниці? — здивувалася пані Лаура. — Я думала, що в лісі вже ніхто не збирає ягід, бо вони можуть бути отруєні вихлопними газами.

— Жаб'ячий Ріг далеко від автомагістралей, фабрик та всіляких хімікатів. Наші ягоди дуже чисті, — відповіла бабуся і вручила нам усім по кошичку. Всередині ми знайшли несподіванки! Бабуся приготувала для кожного з нас перекуску — млинці й канапки. Я була готова навіть заплющити очі на те, що канапки з листям салату.

Ми бадьоро рушили з дому. Коли вийшли з двору, відразу за хвірткою нас уже чекали. Геля, Костек і... гм, двоє дітей, яких ми не знали. Дівчина і хлопець, дуже схожі одне на одного.

— Ого, хто це тут у нас... — буркнув Франек. — Усі, кого підозрюємо...

— А оці, що біля Костека, то, мабуть, Іванко та Марійка, — прошепотіла Флора.

— Цсс! — почули ми над головами.

Пані Лаура заклúкала нас поводитися чемно.

— Кого це ви підозрюєте? Уперше в житті їх бачите. Будьте приязні.

А бабуся, угледівши цю компанію, вигукнула:

— А ось і наші збирачі чорниць!

Геля, Костек і діти, яких ми ще не знали, широко всміхнулися, вітаючись із нами.

— Хочу познайомити вас з Іванком та Марійкою. Як бачите, вони двійнята. Я з ними проводжу багато часу! — Костек представив дітей, а двійнята ще радісніше всміхнулися до нас.

— Ми знаємо, хто це, — відрізав Франек. — Марійка добре відзначилась в історії бібліотеки! Рекордсменка із загублених книжок!

Марійка примружила очі й показала Франекові язика. Іванко також вирішив не відставати і похвалився:

— Я теж поставив деякі рекорди! Малага скинула мене зі себе за один день десять разів!

Костек голосно зітхнув:

— Нам одне з одним нелегко.

Тоді я згадала про список загублених книжок і спитала:

— А ви щось знаєте про «Таємницю шифру Марабута»?

Іванко й Марійка хором відповіли:

— Як ти додумався до цього, Каєтане?! — і захихотіли.

Ми збентежено перезирнулися. Фаустина крадькома стиснула мою руку. Що це все означає? Це що — якийсь таємний код?

Після цього ми вервечкою рушили у бік бібліотеки. Знову минули липи, що пахнули літом. Над стежкою працьовито кружляли бджоли.

Ми добралися до вершини пагорба, проминули книжкове королівство Гелі й простували далі серед полів. Уздовж них росли маки, ромашки й волошки.

— Такі самі квіти, як у бабусі у вазі, — озвалася пані Лаура.

— Польовим квітам подобається рости у збіжжі. Це звичайнісінькі бур'яни, — пояснив Костек.

Сонце припікало все дужче, а ми бігали вздовж полів, на яких уже дозрівало збіжжя. Зірвали кілька маків та волошок, щоб засушити їх у наших Таємних Щоденниках.

Потім Геля навчила нас пісеньки тих, що збирають чорниці. Слова там були приблизно такі:

*Очі у нас чорні, темно-сині лиця,*
*А сукні блакитні та зелені.*
*Коли прийде ранок, коли прийде ранок,*
*Йдемо по чорниці, по чорниці...*

Нарешті ми добралися до лісу, а там можна було сховатися у приємному затінку.

— Перш ніж зайдемо глибше, згадаймо, як слід поводитися в лісі, — озвався Костек, коли ми сіли перепочити на невеличкій галявинці.

А Геля додала:

— Коли ми галасуємо, то лякаємо звірят.

Костек пояснював далі:

— Не їжте нічого з кущів, хіба що вам дозволять дорослі. Не відходьте від решти, не заходьте далеко у хащі.

— А тут є вовки? — спитала Флора.

— Вовки зрідка заходять у наші краї, — відповів Костек. — Але тут можна зустріти сарн і навіть диких кабанів.

— Я би хотіла побачити сарну! — вигукнула Фаустина.

Ми з Флорою також дуже хотіли побачити якусь лісову тварину.

Проте ані Франека, ані двійнят тварини не цікавили. Вони стверджували, що купу разів бачили і сарн, і диких кабанів.

— Цікаво, а де це ти зустрічав сарн і диких кабанів? — обурилася Фло. — Ти сам казав, що вперше у селі.

— У звіринці, — спокійно пояснив Франек.

Тоді почалася суперечка. Флора вважала, що це не те саме, що зустріти диких звірів у лісі.

— У нас є шанс побачити звірят лише тоді, коли справді будемо поводитися дуже тихо, — нагадала бабуся.

А Костек пообіцяв:

— Спробую щось зорганізувати. Може, нам таки вдасться побачити сарну.

А потім ми розбрелися у пошуках чорниць. Дітям не можна було відходити від дорослих, тож Костек відразу поділив нас на групи.

Ми з Гелею подалися у бік галявинки, зарослої мохом та папороттю. Відразу знайшли там море чорниць.

— Тут дуже багато чорниць, — сказала Геля, роззираючись довкола. — Ягід усім вистачить.

А мене здивувало те, що навколо раптом запанувала тиша. Окрім нас, на галявинці вже не було нікого.

— А де всі? — занепокоїлась я. — Ми ж мали триматися разом.

— Усі вже старанно посхилялися над кущиками чорниць! — пояснила Геля. Потім кивнула на чагарі, що росли неподалік, і гукнула: — Дивись, Емі! Там за малиною сховалися бабуся і двійнята.

— А хіба в лісі росте малина? — спитала я. — Смакота! Обожнюю малину.

Геля пояснила, що це дика лісова малина і вона не така велика й соковита, як та, що росте в саду. А потім видивлялася, де ж інші збирачі чорниць.

— А он за тим невеличким гайочком бачу Костека з Франеком.

Справді! Вони присіли серед зелені.

— Ну а тепер можемо назбирати афинів. У нас, здається, найкраща галявина в усьому лісі. Назбираємо купу ягід на дріжджові булочки та всілякі десерти, — сказала Геля і присіла серед кущиків чорниць.

— А тут лише маленькі полуниці! — пропищала я. — І я не знаю, що таке оті афини.

Геля терпляче пояснювала.

— Афини— це така назва чорниць. А оці червоні ягідки, схожі на мініатюрні полуниці, звуться суницями.

Шукаючи чорниці, Геля ретельно оглядала кожен кущик. Зривала ягоди цілими жменями і зсипала у кошик. Незабаром він уже був майже повен. У мене виходило не так добре. Мені особливо не було чим похвалитися, хоча я намагалася наслідувати Гелю.

— Глянь, Гелю, у мене, мабуть, закороткі руки, бо я збираю не так швидко, як ти, — поскаржилась я.

Мені було трохи соромно. Адже я керівничка Таємного Клубу Супердівчат.

Проте Геля мене розрадила.

— Емі, ти ж уперше збираєш чорниці. Тільки вчишся. Я тобі відсиплю трохи ягідок, бо мої вже не вміщаються.

І показала мені кошика, наповненого по сам верх синіми й червоними ягодами. Я аж запищала від захвату:

— А як це у тебе вийшло?

— Я працьовита, як мурашка, — відповіла Геля. — Ой, будь уважна: ми якраз підходимо до мурашника, а мурашки не люблять непроханих гостей.

Ми обережно обійшли мурашине царство й рушили далі. Геля роздивилась довкола і сказала:

— Повертаймося до ялинок. У листяному лісі стільки чорниць не знайдемо.

Я зі знанням справи закивала головою і слухняно подалася за нею.

До нас уже йшли Франек із Костеком та Фаустиною, а за ними — бабуся і двійнята.

Франек гордо показав свого кошика.

— Мені вдалося знайти лисички й білі гриби!

— Ми мали чорниці збирати! — промовила я, бо також більше б хотіла збирати гриби.

— Чорниці ми також знайшли, — додав Франек, а Костек показав два повні під сам верх кошички.

Аж тут на нас накинулися двійнята. Вони теж знайшли купу ягід.

— Ого! Лисички! — Іванко застромив носа до кошика з грибами. — Та ще й букові гриби! — додав здивовано.

— Що за букові гриби? — здивувався Франек.

Виявилося, що білі гриби називають ще буковими. Бабуся попередила, що ми можемо їсти тільки жовті гриби, бо інші дітям не можна.

Ми повернулися на галявину, з якої порозбрідалися шукати ягоди. Однак усіх досі не було — пані Лаура з Флорою ще не повернулися.

— Сподіваюсь, що вони не заблукали, — хвилювалася бабуся.

— Ми можемо їх пошукати, — запропонували двійнята.

Костек сказав, що це не найкраща ідея, бо зараз ми всі погубимося і станемо одне одного шукати.

Отож ми зручно повсідалися серед моху й папороті.

— Так м'яко сидіти, — сказала Фау.

Ми наминали смаколики, які нам приготувала зі собою бабуся.

Коли ми так спокійно жували, Костек дав нам знак затихнути й подивитися високо вгору на дерева. На гілці над нами сидів птах із помаранчево-чорним чубчиком.

— Це одуд, — пояснив Костек. — Він живе тут неподалік у якомусь дуплі.

На іншому дереві сидів дятел. Він увесь був чорний, тільки на вершечку голівки у нього була маленька червона «шапочка». Ми також почули, як він ритмічно стукотить дзьобом по дереву.

— Він видовбує дупло і водночас дістає з-під кори комах, — далі розповідав Костек.

— А ми пугача побачимо? — спитала Фаустина.

— Ти хотіла б отримати листа, як Гаррі Поттер? — пожартував Франек.

— Пугач — це найбільша польська сова, — відповів Костек. — Він чудово бачить і чує, отож він точно знає, що ми в лісі. Але він лише вночі озветься.

І раптом ми почули пугукання.

— Пу-гу! Пу-гу! — а потім: — Хе-хе! Хе-хе!

— Це сови? — спитала я.

Бабуся з Костеком змовницьки перезирнулися, а ми підвелися. Голоси наближалися.

Невдовзі з-за кущів на галявину вийшли пані Лаура з Флорою. Побачивши їх, ми вибухнули сміхом.

В обох були темно-сині губи й замурзані обличчя.

— Що вас так розсмішило? — вибухнула пані Лаура. — У нас майже повен кошик чорниць.

— А животи ще повніші, — сміялася бабуся.

Ясна річ, що Флора показала нам язика, але ми тільки знову розреготалися. Бо язик у Флори був так само, як і губи, темно-синій.

— Не приховаєш, що ви добре підживилися. У вас обличчя темно-сині. Як у пісні про тих, що збирають чорниці, — пояснила Геля.

Ми знову вибухнули сміхом. Пані Лаура з Флорою — чорнички!

— Весела зграє, попрошу тиші! Може, нам удасться побачити сарну чи їжака, — втихомирив нас Костек.

Навантажені кошиками чорниць та грибів, ми тихо поспішили за Костеком.

Ліс усе рідшав, і лишень подекуди виднілися смереки й сосни. Натомість усе більше росло беріз та інших листяних дерев. Бабуся пояснила нам, що це буковий гай, бо тут найбільше буків. Потім дерева ставали все нижчі — й нарешті дерев уже не було, натомість росли самі кущі. На деяких ми навіть побачили плоди, але, окрім малини та ожини, нам не можна було нічого зривати. Нарешті й кущів стало менше і ми опинилися серед трав та якихось бур'янів.

Перед нами простягався луг, що весь купався у сонці. Ми хотіли плюхнутися на траву й перевести подих, але Костек нас зупинив:

— Сарни виходять сюди поїсти. Якщо нам пощастить, можемо їх побачити.

Ми застигли непорушно, уважно дивлячись під ноги. Виявилося, що в лісі, на галявині й на лузі можна надибати вужа чи жовтобрюха. Не кажучи вже про дощових черв'яків, жаб та слимаків.

Сарну першою побачила Фаустина.

— Ось вона! — пропищала й показала у протилежний бік лісу.

— Цссс! — втихомирила нас Геля, бо ми від радощів аж скрикнули.

Сарна зупинилася попід лісом і нерухомо завмерла. Вона була така гарна — струнка, високонога, схожа на якусь скульптуру. Її брунатно-руда шерсть дуже вирізнялася на зеленому тлі рослин, тож ми могли спостерігати за нею. Однак ми недовго тішилися споглядання лісової красуні. Раптом тваринка підняла голову і, зграбно підіймаючи копитця, зникла в гущавині. Напевно, вона відчула, що є хтось поблизу, або щось її перелякало.

— О-о-о-о, — зітхнули розчаровано ми.

— Не нарікайте, — промовила бабуся. — Це точно перша сарна, яку ви бачили. А тепер рушаємо обідати. Бо у всіх уже животи бурчать.

Бабуся мала рацію. Незважаючи на те, що недавно ми перекусили, мій живіт вигравав гучні марші, даючи знати, що вельми зголоднів.

Отож ми рушили назад, стежкою серед полів. Двійнята по черзі називали рослини, що росли на полях, які ми проминали: ріпак, тютюн, жито, овес, коноплі. Геля пояснювала, щó й де використовують. Наприклад, із конопель виготовляють мотузки або тканину.

Коли ми добралися до полів зі збіжжям, двійнята раптом з вереском забігли на поле.

— Це наша межа!

Костек похитав головою й широко всміхнувся.

— От неслухи! — гукнув і пояснив нам: — Межа розділяє поля чи городи.

Я навіть не підозрювала, що поля й ліси такі цікаві! Геля каже, що ліс — це великий організм, у якому тварини й рослини, навіть найменший черв'ячок, виконують свої важливі завдання. Круто! Двійнята повернулися до нас, галасуючи, геть замурзані та з колосками нестиглого жита у волоссі.

— На полі можуть чигати польові миші! — перестеріг їх Франек.

— Так точно, Каєтане! — підтакнули ті, по черзі заливаючись сміхом.

Я вже цілком певна: вони щось задумали.

Зате Фаустина розмірковувала над планом завтрашнього дня.

— А що ми будемо робити завтра? — спитала вона. — Може, навідаємо Малагу?

— Гарна ідея. Потім можемо збудувати курені над річкою, — запропонував Костек.

Усі були в захваті від цієї пропозиції.

— Та-а-а-ак! — дико загорланили ми.

Тільки я не кричала так голосно, як інші. Увесь час із підозрою поглядала на двійнят.

# Будуємо курінь. З бібліотеки зникає раритет

Зустріч із Малагою всіх нас вразила. Коли вранці ми з'явились у стайні, і Малага, і поні, побачивши нас, радісно трусили головами. Вочевидь, після того як ми кілька разів відвідали стайню, її мешканці вже добре нас запам'ятали. Ми блискавично почистили стійла. Нас уже не лякало те, що треба було насипáти свіжу солому чи виносити брудну.

— Шкода, що вдома ви не такі беручкі до роботи, — промовила пані Лаура.

— А ми можемо завести вдома коня? Я би за ним щодня прибирала! — запевняла Флора.

Проте її мама була іншої думки.

— У нас уже були і пес, і хом'ячок, і кіт. І щоразу твій запал доглядати тваринку зникав за кілька днів.

— Але тепер я належу до Таємного Клубу Супердівчат! — гордо сказала Фло. — І дотримуюся дисципліни!

— Флоронько, кінь — це величезна відповідальність, ну і кошти. У нас немає в місті таких можливостей, — припинила розмову пані Лаура.

Тим часом ми почастували поні морквою, і вони відразу ж її схрумали. Малага якраз щойно поснідала, тож на свою порцію моркви їй треба було трохи почекати.

— Стійла почищені, коні нагодовані й задоволені, тож настав час винагороди, — таємничо промовив Костек.

Ми натомість пожвавились:

— Яка винагорода?

— Беріть захисні шоломи — і гайда по конях! — гукнув той. — Будете кататися з перервами, щоб Малага не перевтомилася.

Ми накинулися на Костека з обіймами, бо він так класно придумав!

— Круто! Ти будеш Костек Великий! Таємний Клуб Супердівчат поміркує над тим, щоб вручити тобі медаль! — промовила я.

Костек низько вклонився:

— Завжди до ваших послуг!

Перша на коня сіла Фаустина. Вона вже їздить без повіддя, себто без таких мотузок, за допомогою яких керують конем. Фаустині пощастило! Коли їй сповнилося вісім років, батьки подарували їй абонемент на уроки їзди верхи. Тепер вона вміє майже все — навіть їздити галопом.

Я застрибнула на Малагу після Фаустини. Ми проїхали кілька кіл, і в цей час Костек навчав мене, як тримати рівновагу. Зі звичайного кроку ми перейшли на рись, Малага несла мене легко й зграбно. А я шепотіла їй на вушко ніжні слова. Ледь притулялася до її спинки. І мені зовсім не хотілося, щоб наше катання закінчувалося. Але невдовзі мій час завершився і я мусила з цим змиритися. Тож віддала шолом Флорі — вона мала кататися після мене.

Коли я злізла з коня, Костек оголосив перерву.

— Тепер Малага має перепочити. Хай вона переведе дух, а ви тим часом перекусите. Ми вирішили, що дамо Малазі порцію обіцяної моркви. Вона її заслужила.

Під час перерви ми також схрумали моркву.

— Шкода, що в Жаб'ячому Розі немає піцерії! — замріяно сказала Фло.

— Ми могли би замовити оту екологічну піцу, пам'ятаєш? — загорівся Франек.

Флора кивнула головою і вся аж засяяла.

Я не могла в це повірити! Ще ж нещодавно вони чубилися й качались у сіні! А крім того, в отій екологічній піці було повно бадилля, себто спаржі. Фло сама казала, що це жахлива піца. Ой, то це *таке* оте ВК*?

Як тільки ми доїли, до нас приєднались Іванко й Марійка.

Іванко почав вихвалятися:

— Я знаю Малагу найкраще і вмію кататися просто чудово!

Флора недоброзичливо глипнула на нього.

— Та ясно! Ти хвалько! Ти ще не бачив справжніх майстрів!

— Це ти майстер на конях кататись? — спитав у неї Іванко.

---

* Велике Кохання.

— Я лише учениця майстрині. Справжня фахівчиня ось тут, — відповіла та й вказала на Фаустину.

— Пхі, — пирхнув Іванко у відповідь. — Зараз побачите, що я вмію.

— Ага, тільки спершу дочекайся своєї черги, — відрізала роздратовано Флора.

Костек тим часом також приготував собі другий сніданок. Наминав біґос або щось не менш жахливе, бо запах розходився по цілій стайні.

— А ти моркви не любиш? — спитала його Фаустина.

— Я люблю щось більш суттєве, — відповів той. — До речі, я вже наївся. Так що по конях!

Флора обережно підійшла до Малаги.

— Якщо ти добре мене покатаєш, то обіцяю тобі дві порції моркви, — переконувала вона її, але та тільки пирхнула у відповідь.

Здається, коні відчувають невпевненого вершника ще здалеку.

— Тоді тобі доведеться ділитися своєю, бо сьогодні на обід бабуся готуватиме моркву, — втрутилася пані Лаура. Вона зайняла зручну лавочку в кутку біля вольєра Малаги, щоб спостерігати, як катається її дочка.

Флорі вдавалося дуже навіть непогано. Ну, може, не так добре, як Фау, але Костек і їй дозволив їхати без поводів. Щоправда, Флора нарікала, мовляв, Іванко та Марійка її відволікають і вона не може продемонструвати все, що вміє. Двійнята, як завжди, скрізь зчиняли хаос. Іванко намагався підбігти до коня, хоча знав, що має сидіти на лавочці. Марійка цілий час базікала, але я не могла нічого збагнути. Отож Франек, Фаустина і я відразу зникли. Скориставшись тим, що всі були зайняті, ми стали нишпорити у стайні.

— Маємо перевірити кожен закуток. Зрештою, Костек також у списку підозрюваних, — вирішив від імені Таємного Клубу Франек.

Ми залізли на сіно. Спершу вирішили пострибати й покачатися в ньому. Це була суперрозвага! Потім ми виймали одне в одного колючі стебла з волосся. І саме тоді біля бортика стійла із сіном Фаустина помітила щось дивне.

— Гляньте! — показала вона в куток.

З-попід сіна визирало щось червоне. Ми відразу кинулися туди.

— Давайте сюди оте щось! — вигукнула я. — Таємний Клуб відразу з ним розправиться!

Франек спритно розгріб сіно — і перед нашими очима з'явився напис:

«СТАРІ КНИЖКИ ТА ІНШІ ДРІБНИЦІ».

Ми перезирнулися. Круто! Книжки! Це може бути крок до розгадки таємниці!

Спершу ми розробили стратегію подальших дій. Фаустина стояла на чатах біля самого входу до стайні. Якщо пролунає умовний сигнал — себто ухкання сови, — пошуковці, тобто Франек і я, мають замаскувати скарб. Відкопування його відбувалося поступово. Ми знімали нові шари соломи й сіна. Припускали, що можемо відкопати справді тяжку річ. Та ще й, може, цінну! Настільки цінну, що відразу розгадаємо загадку. Ми відкидали вбік сіно й солому, зв'язані у снопи. Невдовзі всі руки в мене були поколені гострими сухими стеблами. Кошмар! Але я навіть не пискнула! Зрештою, я керівничка Таємного Клубу Супердівчат і в мене має все вийти.

Ми розгрібали сіно й стару солому, яка щільно прикривала нашу знахідку. Фаустина занепокоєно зиркала на нас від дверей стайні й подавала якісь знаки. Нарешті підбігла до нас, бо вже не могла витримати від напруги. Разом ми витягнули наш скарб нагору. Це було нелегко. Так як ми й передбачали, важила наша знахідка чимало. Перед нами стояла дерев'яна червона скриня. Віко з написом «СТАРІ КНИЖКИ ТА ІНШІ ДРІБНИЦІ» було трохи пошкрябане. З боків стирчали тріски, а червона фарба облущувалася.

— Хтось намагався добратися до нашого скарбу, — прошепотіла Фаустина.

— Але ми все одно перші! — тріумфально відповів Франек, показуючи великий, трохи заіржавілий замок, що звисав із віка скрині.

Я скривилася:

— Дарма радієш. У нас жодних шансів її відчинити.

Тоді Франек показав нам свої руки. Вони були порожні! Ми стенули плечима: знову якісь фокуси! А Франек відразу спритно зіскочив з купи сіна, на якій ми сиділи, і помчав кудись у глибину стайні. Повернувся із зігнутою дротиною. Кинувся до скрині і став колупатись у замку.

Ми напружено дивилися на нього. Щось заскреготало і затріщало. Нарешті на обличчі Франека засяяла усмішка.

— Готово! — гордо сказав він, а замок затріщав і піддався. — Дорога до скарбу відкрита!

— Віко підіймаємо всі разом, — попередила я.

Ми разом відчинили скриню. Зверху все було вкрито тоннами порохняви. Ми розічхалися. І тоді я згадала:

— Ми працюємо без жодних заходів безпеки!

— Фаустино, повертайся сторожувати! — наказав Франек.

Але вже було пізно. За спиною почулися голоси. До нас ішли Костек із Флорою. Вона була дуже задоволена! Підстрибуючи, підбігла до нас.

— У мене так добре все вийшло з Малагою. Я суперово покаталася!

Проте відразу ж у Фло відвисла щелепа, бо вона побачила, що ми знайшли скарб!

Костек також уже підійшов. У нас не було жодних шансів замаскувати скриню.

— Агов! А чого це ви тут поховалися? — спитав він. — Ви не побачили Флориних досягнень. Це було катання справжньої майстрині.

Я підвелася і невпевнено промимрила:

— Ми тут... у нас тут...

— Та бачу, щó ви тут, — розсміявся Костек.

Аж раптом Франек вигукнув:

— А в нас тут скарб!

— Круто! — заревіла Фло. — І мене при цьому не було!

Й ображено розвернулася спиною. Я благально зиркнула на Костека й пояснила:

— Таємний Клуб Супердівчат веде розслідування щодо книжок, які зникають із бібліотеки. Ми хочемо допомогти Гелі.

Проте Костек не розгнівався, що ми без його відома нишпорили у стайні. Навпаки, весь аж засяяв.

— Молодці! Я стільки місяців цю скриню розшукував!

Ми здивовано перезирнулись, а він опустився навколішки й відкинув віко. Знову здійнялася тонна порохів. Костек один за одним діставав зі скрині грубі томи й читав уголос:

— «Атлас анатомії малих тварин», «Анатомія коня».

На сіні вже височів чималий стос книжок. Наступну Костек вручив мені.

— «Юний вершник» — це якраз для вас. Я сам за цією книжкою вчився, коли починав свою пригоду з кіньми. Це справжній скарб.

— Скарб? Який ще скарб? — почувся вигук пані Лаури.

Вона дерлася на сіно і зацікавлено роззиралася довкола. Коли вже опинилася нагорі, над нашими головами знову здійнялася хмара пороху, а в пані Лаури почався напад чхання.

— Як же довго я розшукував ці книжки! Це підручники, за якими я навчався у ветеринарній школі. Я вже давно хотів до цих книг повернутися. Зараз, коли я займаюся господарством і кіньми, вони мені дуже знадобляться. Ви знайшли справжній скарб!

Ми розчаровано перезирнулися. Ми ж не такого скарбу шукали!

Пані Лаура, що затуляла рота й носа, прохрипіла:

— Раджу повертатися до Малаги. Бо там її дикуни приборкують!

— От капець! Я забув, що Іванка не можна самого залишати з конем.

Ми відразу кинулися до вольєра. І побачили щось дуже кумедне. Малага мчала галопом, а Іванко сидів на ній спиною до її голови. У руках він тримав повід і намагався крутити ним у повітрі над головою.

— Іванко й Малага скачуть на Дикому Заході, — пояснила нам Марійка, що з гордістю спостерігала за подвигами брата.

Костек спритно «обеззброїв» Іванка, і розваги припинилися.

— Усі повертаються до своїх занять, — промовив він.

— А ми ж мали курінь будувати? — нагадав Франек.

Костек пошкріб потилицю.

— Треба подумати, чи сьогодні вийде. Маю подивитися до курей, потім кілька книжок переглянути, раз вони вже знайшлися... — перераховував він.

Ми насуплено дивилися на нього.

— Гаразд! До вечері маю встигнути. Зустрічаємося біля річки.

— Урррра! — зарепетували ми.

— І ми уррра! — хором приєдналися двійнята.

Нам це не дуже було до вподоби, але ми не могли сказати, що не хочемо спільних із ними розваг.

Костек прийшов відразу після вечері. І тут же з'явилися двійнята.

— Це наш останній шанс збудувати курінь. Бо починати треба щонайпізніше за дві години до заходу сонця, — сказав Костек.

Ми подивилися на небо. Ще не було аж так пізно, хоча ми зауважили, що сонце заходить уже трохи раніше, аніж на початку наших канікул у Жаб'ячому Розі.

Сьогодні бабуся звільнила нас від миття посуду після вечері, тож ми могли присвятити час будуванню куреня.

— Хтось із вас знає, що таке школа виживання? — спитав Костек, коли ми всі вже зібралися на лузі біля річки.

Франек відразу підняв руку вгору і протарабанив:

— Це така пригодницька програма, її по телеку показують. Ага, згадав! На «Діскавері»*!

— Це також, — відповів Костек. — Школа виживання — це ті дії, які допомагають нам у дикій природі, без електрики та інших вигод сучасного світу.

— То ми зараз будемо в таку школу гратися? — ця ідея вже подобалася Флорі.

— Перший крок у школі виживання — навчитися будувати курінь.

Спершу ми довідалися, де і як його будувати. Ясна річ, не під деревами, бо, якщо буде гроза і вітер, гілляки можуть впасти зверху та зруйнувати наш прихисток. Також треба уникати низовини, бо курінь може залити водою. Найкраще місце для

---

* «Діскавері» — телеканал, що транслює програму Бера Ґріллза, мандрівника й колишнього десантника. Ґріллз розповідає, як виживати у складних умовах, скажімо, у джунглях чи в пустелі.

куреня — рівна поверхня. Споруджувати його треба починати ще завидна, адже вночі складно знайти потрібні матеріали для будівництва.

Курінь ріс посеред лугу, і будували ми його з гілок верб, що густо росли вздовж річки.

— Їх і так треба було б усі позрізати — або хоча б частину, — промовив Костек, коли ми почали перейматися, що псуємо дерева.

І ось на лузі вже два курені. Один збудував Таємний Клуб Супердівчат з допомогою Франека. Другий — двійнята. Ми не могли визначити, чий курінь кращий. Таємний Клуб обрав варіант тіпі*, а двійнята — пологий курінь.

---

* Тіпі — індіанський намет, який споруджують із жердин, укритих шкурами бізонів чи полотном.

А потім ми гралися в індіанців. Наші курені було перейменовано на вігвами індіанських племен. Два племені — Двійнят і Таємного Клубу — зустрілися на нейтральній території. Це не була мирна зустріч. Томагавк війни було викопано! Ми й далі сперечалися, у якого ж племені курінь кращий. Бабуся намагалася нас примирити спеціальною індіанською стравою, себто кашею з малиною.

Коли вже смеркло, нам довелося залишити курені, хоча ми впиралися, що переночуємо в них. Ані бабуся, ані пані Лаура і чути про це не хотіли, тож ми повернулися додому. Ще трохи посиділи на веранді, щоб попрощатися з двійнятами.

Я й далі дивилася на них підозріливо, адже була впевнена, що вони щось задумали!

Аж тут до нас несподівано завітала Геля. Принесла не дуже добрі новини.

— З бібліотеки зник раритет!

Ми витріщили очі від подиву.

— Рари... що? — спитала Флора.

Костек, пані Лаура і бабуся розсміялися. Тільки Гелі було не до сміху.

— Раритет — це дуже рідкісна книга. А в мене цього разу пропав довоєнний буквар. Мені його подарувала одна літня жінка, що жила в нашому селі. Вона переїхала до дочки в інший кінець Польщі і хотіла, щоб тут від неї щось залишилося.

Ми перезирнулися. У Таємного Клубу Супердівчат уже не так багато часу, щоб розплутати цю загадку.

Усі розраджували Гелю. Тільки мовчазні двійнята сиділи тишком-нишком. І я не могла не звернути на це уваги.

# ПОХІД НА ПАСІКУ І КНИГОГРИЗКА

Наш план був дуже простий. Ми мали потрапити до бібліотеки і подивитись, що зберігається у сховищі. Ми весь час думали, що саме там можемо знайти розгадку загадки.

Отож ми міркували, як пробратися до бібліотеки, щоб не викликати нічиїх підозр.

— У мене є ідея! — сказала Флора.

— Та-а-ак, — буркнув Франек. — Ідей у нас вистачає. Тільки не з кожної є користь.

— У мене тільки КЛАСНІ ідеї. Або ви мене слухаєте, або ні! — обурилась Флора, відвернулася до стіни і трохи так посиділа.

Як керівничка Таємного Клубу, я мала втрутитись у цю ситуацію. У Клубі мусить панувати гарна атмосфера.

— Ми Таємний Суперклуб. Це клас! — нагадала я. Усі притихли і глянули на мене.

— Хай всі, у кого є ідеї, висловлюються. По черзі, — продовжила я.

Набурмосена Флора озвалася:

— Ну, я взагалі могла би нічого не казати, але для добра справи поділюся з вами деталями мого плану.

— Гаразд, — згодилися Франек і Фаустина.

Флора таємниче почала:

— Пам'ятаєте, як Геля розповідала нам про пасіку?

— Ні, — буркнув Франек. — А що це має спільного з розслідуванням? На пасіці немає ні бібліотеки, ні сховища.

— А я пам'ятаю! — пожвавилася Фаустина. — Коли ми йшли під липами, а над нами дзижчали бджоли, Геля сказала, що в Жаб'ячому Розі є пасіка. І що вона може нам організувати екскурсію.

— Ех, — зітхнула я. — Такий похід треба планувати наперед. А у нас не так багато часу.

— А в мене ще одна ідея! — додала Фау. — Ми й далі не знаємо легенди Жаб'ячого Рогу! У бібліотеці точно можна щось про це знайти. Попросимо Гелю, щоб вона дозволила нам подивитися книжки з легендами.

Франек, довго не думаючи, вибіг із нашого літнього будиночка і, немов навіжений, зарепетував:

— Бабусю! Бабусю!

За кілька хвилин повернувся до нас із бабусею та пані Лаурою.

— Розповідайте! — промовили обидві водночас, коли ми всі знову були в кімнаті.

— Геля обіцяла, що візьме нас на пасіку! — вигукнула я.

Бабуся похитала головою.

— Геля сьогодні у сусідньому селі. На бібліотечних курсах.

— До того ж ми не знаємо, чи хтось із вас не має алергії на бджолину отруту, — додала пані Лаура.

Але бабуся відразу пояснила, що перебування на пасіці безпечне, а бджоли зовсім не страшні. Пасічник обкурює їх спеціальним димом, тож бджоли заспокоюються. Окрім того, всі відвідувачі надягають капелюхи із сіткою, що захищають голову.

— Оце супер! Ми могли б походити у таких капелюхах? — зрадів Франек.

— Будь ласка, бабусю! Спробуй нам зорганізувати похід на пасіку! — клянчили ми далі.

Тоді бабуся вийняла з кишені штанів мобільник.

— Ого! — мовила Флора. — Мобільник! Бабусю, ви ж казали, що терпіти не можете мобільників!

— Так воно і є. Я користуюся мобільним телефоном тільки у крайній потребі, — відповіла бабуся і набрала номер на клавіатурі.

Після кількох невдалих спроб бабуся нарешті додзвонилася до Гелі. Виявилося, що курси закінчуються в обід. Тож, можливо, пізніше ми зможемо вибратися на пасіку!

— Бабусю, ти КРУТА! — вдячно загукала я.

Круто! Зустріч із Гелею — це величезний шанс для Таємного Клубу. Маємо її переконати, щоб вона дозволила нам оглянути бібліотечне сховище.

Ми сиділи наче на голках і чекали, коли ж настане обід. «Котра вже година?» — перепитували по черзі.

Нарешті бабуся покликала нас обідати.

— Ви вирушаєте на пасіку, а я йду на город. Тож поїмо раніше.

Ми з'їли помідоровий суп із кльоцками. А на друге були маленькі смішні кульки, що звуться тюфтелі, і картопля з кропом. Як виняток, я з'їла дві штуки, хоча зазвичай терпіти їх не можу.

Після обіду, в товаристві Гелі й пані Лаури, ми вирушили на пасіку.

— Шкода, що ми без велосипедів. Ми могли б провести екскурсію у всій місцевості. До пасіки теж могли би доїхати, — міркувала Фаустина.

— У вас ноги болять? — здивувалася пані Лаура.

Однак ми не здавались і простували далі. Щоправда, у протилежному до бібліотеки напрямку. Проминули крамницю, банк і велике подвір'я, на якому стояли трактори й інші чудернацькі машини.

— А чого тут скільки всякої техніки? — здивувався Франек.

Геля пояснила, що це пункт прокату сільськогосподарських машин.

— Він у селі дуже потрібний, бо у нас активно займаються землеробством. Господар може винайняти трактор і працювати на полі. А коли наближаються жнива, орендує комбайн.

Нарешті ми добралися до пасіки.

Липи пахнули ще дужче, ніж завжди.

— Бджоли люблять липи. Пам'ятаєте? Вони можуть спокійнісінько збирати нектар і давати мед, — нагадала Геля.

Біля хвіртки, оточеної квітучими мальвами, нас зустрів пасічник. Він був цілком звичайний. У сорочці і в штанах.

— А де ваш капелюх із сіткою? — спитав Франек.

— Я його надягаю, тільки коли працюю біля вуликів. Я би мав дивний вигляд, якби гуляв у ньому в селі, — засміявся той. — Ласкаво запрошую вас на пасіку Бджолиний Жаб'ячий Ріг. У нас тут є вісімдесят вуликів, і ми виробляємо насамперед липовий мед, без жодної хімії, — казав далі пасічник. — Мене звати Францішек, і я — власник бджолиного царства.

Ми по черзі представилися.

— Ага! Вас тут уже чекає двоє лоботрясів.

Ми глибоко зітхнули. Та ясно, цього й можна було чекати. Ця парочка скрізь за нами плентається.

— Вони за нами стежать, — пробурмотіла Фло.

Геля нам підморгнула.

— Може, ви їм просто сподобалися.

Ми скривилися, бо ці двоє й досі були у списку підозрюваних осіб!

Ми подалися за паном Францішеком. Зупинилися на кінці стежки, що вела через подвір'я за дім. Там росло безліч дерев. Пан Францішек гордо пояснив:

— Це наш сад. У нас тут ростуть чудові яблуні, груші, вишні й сливи.

— А де ж пасіка? — спитала я.

— Пасіка відразу за садом. Але, перш ніж ми туди підемо, вам треба перевдягнутися, щоб ми могли там спокійно гуляти, — відповів пасічник.

Він ненадовго зайшов у маленький блакитний будиночок, що сховався серед дерев. Повернувся з капелюхами і рукавицями.

— Це для безпеки. У мене дитячих розмірів немає, але я вибрав найменші, — сказав він і дав нам захисні костюми.

— А бджоли справді дітей не покусають? — допитувалася пані Лаура, надягаючи на голову капелюх.

— Не переймайтеся, — заспокоював її пан Францішек. — Ви потрапили до досвідченого пасічника.

— Люди й коні однаково чутливі до бджолиних укусів, — втрутилася Фаустина.

— Не хвилюйтеся. У нас вам нічого не загрожує, — ще раз запевнив пасічник.

Надягнувши рукавиці й капелюхи з сіткою, ми подалися на пасіку. Коли за нами зачинилася хвіртка, ми опинилися у бджолиному царстві. До нас підскочили двійнята, репетуючи на все горло, що бачили джмелів і трутнів.

— Ви вважаєте, що Таємний Клуб Супердівчат перелякається комах? — спитала Флора й додала: — Ми за вами стежимо!

— У нас на пасіці вісімдесят вуликів, — нагадав пан Францішек, ведучи нас повз численні бджолині будиночки.

— Як же гарно! — захоплено вигукнула пані Лаура.

Справді! Тут усе було різнобарвне, як у казці. Вулики були пофарбовані різнокольоровими смужками: одні — блакитно-біло-жовтими, а інші — зелено-блакитно-помаранчевими. Деякі вулики скидалися на маленькі будиночки з пологими дашками, мініатюрними дверима й вікнами, в яких замість шибок були дощечки.

Ми захоплено це все роздивлялися, аж поки пасічник не попросив нас надягти капелюхи із сіткою й рукавиці. А тоді відчинив один вулик і вийняв із нього дерев'яну рамку, обліплену жовтою липкою масою, на якій сиділо безліч бджіл. Щоправда, ми стояли не зовсім близько до вулика, але я однаково трішки боялася. Що би трапилось, якби бджола вжалила когось із нас? Бо ще ж Вінні-Пух казав, що з бджолами ніколи не відомо, чого чекати!

Ми довідалися, що всередині вулика містяться саме такі рамки. У них бджоли вбудовують щільники, де складають мед і пилок, який приносять у вулик. А збирають вони його у спеціальні «кошички» біля лапок. Ще пан Францішек показав нам бджолиних цариць, що виросли в нього на пасіці.

— Бджолині цариці вилуплюються з таких самих яєчок, як робочі бджоли. І вони самі вирішують, хто з них буде отримувати інше живлення й догляд і стане маткою бджолиних роїв, — пояснював він.

Також він розповідав багато цікавого про життя бджіл. Наприклад, змоклі бджоли не полетять до вулика, поки всі не висохнуть, — кожна бджола має бути суха.

— Люди можуть бджолам заздрити, — казав пан Францішек. — Вулик чудово зорганізований, і кожна бджола виконує в ньому важливу функцію.

— Я вельми вражена вашою працею, — промовила пані Лаура, коли ми вийшли з пасіки.

— Скуштуйте ще, будьте ласкаві, моїх вишень, — припрошував пасічник і дозволив нам нарвати ягід прямісінько з дерева.

— Знамениті! — хвалила вишні пані Лаура. — Ви фаховий пасічник і чудовий садівник!

Пан Францішек низько вклонився.

Коли ми виходили з пасіки, несли з собою відерця з вишнями та ранніми сливками. Отримали також кілька слоїків меду.

— У вас дуже щедрі подарунки, — промовила Геля. — Мені на пасіці не часто дістаються такі делікатеси.

Тепер годі було й думати про те, щоб іти до бібліотеки. Проте ми вблагали Гелю, щоб вона згодилася на вечірню прогулянку, поєднану з читанням «Енн із Зелених Дахів». Франек, якому не до смаку було читання дівчачих книг, навіть словечка не пікнув. Усе задля розслідування!

Уже після того, як ми повечеряли, пані Лаура відвела нас до бібліотеки. Ми, учасниці Таємного Клубу Супердівчат і Франек, вийшли з дому, добре підготувавшись до операції. Взяли зі собою ліхтарі, Таємні Щоденники та список книжок, що зникли. Геля вже чекала на нас у бібліотеці. Звісно, не сама, двійнята вже були тут як тут.

— Здоров був, Каєтане! — зарепетували вони замість привітання і відразу приклеїлися до Франека.

Франек грізно глипнув на них.

— Ми з вас очей не спускаємо!

— Як ти додумався до цього, Каєтане? — відповіли вони хором.

Спантеличити Іванка з Марійкою — не така легка справа.

У бібліотеці стояли приємні пахощі м'яти та дріжджових булочок.

— Свіжа випічка, — Геля показала нам тацю, повну смаколиків.

Ми запитально глянули на пані Лауру, бо на ніч нам не можна було наїдатися.

Та кашлянула й багатозначно подивилася на Гелю.

— Зробимо виняток. Можете з'їсти по одній булочці. А може, декілька вам дадуть із собою?

Геля вручила пані Лаурі пакет із булочками, а ми зручно повсідалися в читальні для дітей.

— Зараз це вже читальня Таємного Клубу Супердівчат, — проказала Флора.

Розпочалося читання. Про Енн та її новий дім у Метью і Марілли в селі Ейвонлі. Франек увесь час вертівся, поки нарешті не спитав, чи йому можна піти подивитися книжки про космос, бо Енн його не цікавить. Мені стало трохи прикро, бо я вже полюбила Енн. Але такий був план нашого розслідування. Франек вийшов, а ми читали далі. Франек довго не повертався, тож Флора вирушила його шукати. Але й вона зникла. Геля здивувалася і, не перестаючи читати, відправила мене по них. Я вже знала, чим тут пахне: Франек, мабуть, натрапив на слід. Я одразу запропонувала Фаустині піти зі мною. Вийшовши у коридор, ми хутко подалися до книгосховища. Всередині було темно, але ми почули шипіння й побачили світло ліхтарика. Франек із Флорою сиділи в кутку і давали нам знаки. Ми підійшли до них.

— Ви щось знайшли? — спитала Фаустина. — У нас небагато часу.

— Наче так, — відповіла Флора і підтягнула ближче стару коробку, перев'язану мотузкою.

— Це якесь сміття, — пирхнула я.

— Не факт, — відповів Франек і взявся за коробку. Проте мотузка таки не давала її розкрити. А в нас ані ножиць, ані ножа не було. Тоді Флора придумала перегризти мотузку. Однак вона швидко відмовилася від цього задуму, довідавшись, що по коробці могли бігати миші. Нарешті ми спільними зусиллями розплутали вузол. І посвітили ліхтариком усередину.

— Ого-о-о-о! — вигукнули захоплено.

Із самого верху лежала зникла книжка «Таємниця шифру Марабута».

Франек вийняв із кишені аркушик і голосно зачитував назви книжок, а ми перевіряли, чи є вони в коробці. Усі книжки були, за винятком однієї. Не було раритету, тобто старого букваря.

Провівши коротку нараду, ми вирішили розповісти Гелі таємницю нашого розслідування.

Ми запакували книжки назад у коробку та поволокли її до читальні, де, як ми думали, вона й далі сиділа разом із двійнятами.

На наш подив, у читальні нікого не було.

— Що тепер робити? — гарячково міркували ми.

— Вона ж не залишить нас тут ночувати? — спитала трохи налякано Флора.

— Ніч у старій бібліотеці? — міркував Франек. — Це було б дуже навіть цікаво.

— Круто! — згодилась я.

— Я тут! — Геля влетіла до читальні, мов вихор. — Іванко з Марійкою розшукують вас нагорі. Ми були певні, що вас спокусив відділ книжок для підлітків. Історії про вампірів та піратські пригоди.

Ми мовчки показали їй пошарпану коробку, яку поставили посеред читальні. Геля зморщила чоло і почала переглядати те, що було всередині. Раз по раз на її обличчі з'являлась усмішка.

— А де це ви роздобули? — спитала вона нарешті.

— Таємний Клуб Супердівчат доповідає, що ми знайшли цю коробку у книгосховищі, — відзвітувала я.

— Ми мали рацію, це саме там чаїлася таємниця книжок, що позникали, — додав Франек.

— Але тут є й інші загублені книжки. Ті, від яких слід загув ще минулого року, — зауважила Геля.

Франек підсунув до неї список загублених книжок, який ми склали, скориставшись бібліотечним каталогом.

— Це все книжки, які загубила Марійка? — спитала недовірливо вона.

І тут до читальні залетіли двійнята, щосили репетуючи:

— Вони зникли!

Побачивши коробку й купу книжок, Марійка зблідла. Геля вичікувально дивилася на неї.

Першим озвався Іванко:

— Це я винен. Я про все знав.

— Та ні, це я винна! — заперечила Марійка. — Я не хотіла зізнаватися, що у мене весь час кудись зникають книжки. Я їх читала, а потім не пам'ятала, куди поклала. І знаходила їх за кілька днів або тижнів. Нарешті книжок назбиралося стільки, що мені стало соромно. І тоді ми їх поклали в цю коробку, яку знайшли у книгосховищі. Ми сподівалися, що колись ти там будеш прибирати і знайдеш її.

— Але ж книжки зникали і на канікулах, — розсудливо промовила Фау.

Іванко понуро пояснив:

— У Марійки було стільки загублених книжок, що вона більше вже не хотіла їх брати. Тож я її переконав, щоб ми вечорами прокрадалися до бібліотеки через прочинене вікно у сховищі. Ми мали брати книжки і відразу їх повертати. Але Геля зауважила, що книжки й далі зникають.

— Ха! То це тому мені постійно здавалось, що ця віконниця наче прочинена, — згадала Геля.

Іванко похнюпився.

Але розслідування ще не завершилося.

— Ми ще не з'ясували всього, — зауважила я. — Ми й досі не знаємо, де отой раритет!

— Буквар у нас удома, — визнали двійнята з винуватими мінами.

— Ти справжня книгогризка, — сказала Геля Марійці.

Марійка перелякано зиркнула на неї.

— Мене покарають? — спитала вона.

— Книгогризи — це дуже цінний вид, — відповіла бібліотекарка. — Але про цю історію з книжками я забути не можу.

— Ви можете заборонити їй заходити до бібліотеки, — порадив Іванко.

— Це було б надто жорстоко, — вирішила Геля. — Життя без книг — жахлива покара. Мені потрібен хтось, хто допомагатиме в бібліотеці. У мене тут купа роботи.

— Я також хочу допомагати у бібліотеці, — загорілася Флора.

— Але це я маю бути покарана, — зчинила лемент Марійка. — Я хочу бути вашою помічницею.

— Роботи тут усім вистачить, — втихомирювала дівчат Геля. — Треба повитирати порох із книжок. Порозставляти їх відповідно до шифрів. Перевірити картотеку. А Флора невдовзі поїде додому...

Обоє дівчат, Марійка та Флора, і далі сиділи насуплені. Та Геля все-таки їх помирила і всім дала якісь завдання.

— Якщо ви справді так дуже хочете допомагати в бібліотеці, то беріть у руки ганчірки. У сховищі неймовірно багато порохів і все позахаращуване.

Марійка допомагатиме мені, коли ви поїдете. А зараз я на всіх розраховую.

Ми розібрали ганчірки і працювали в поті чола. За якийсь час приміщення мало вже значно кращий вигляд. Книжки не височіли попід стінами, а лежали рівненько поскладані на столі. Павутиння ми позмітали, а ще провітрили кімнату. Може, тут і не було так затишно, як в інших залах, але тепер стало терпимо.

— У мене є ідея. Сховище можна перетворити на нову читальну залу, — озвалася Геля. — Діти й дорослі зможуть читати тут восени і взимку, коли читальня просто неба ще не працює.

— Може, назвати її «Читальна зала Іванка та Марійки»? — запропонував Іванко.

— Історія Іванка та Марійки — це одна із найзворушливіших історій. Хай буде так. «Читальна зала

Іванка та Марійки», — згодилася Геля. І відразу ж додала: — Але у вас також будуть обов'язки. Ваше завдання — підтримувати тут цілковиту чистоту.

Флора насупилася. Здається, я знала, що її цікавить. Адже ми, дівчата з Таємного Клубу Супердівчат, розуміємо одна одну без слів!

— А яку залу ми назвемо на честь нашого клубу? — спитала Флора. — Адже це дівчата з Клубу розгадали загадку.

Франек невдоволено буркнув:

— Мабуть, не тільки дівчата.

Геля змовницьки зиркнула на нас.

— Гадаю, що теперішня дитяча читальна зала буде перейменована на залу «Таємного Клубу Супердівчат і Суперхлопця».

— Круто! — вигукнула я. — І нову табличку почеплять?

— Авжеж! Хоча я відразу про це не подумала, — відповіла бібліотекарка.— Проте, якщо назви читалень змінюються, маємо це увіковічнити. Сподіваюся, що Костек знайде час виготовити нові таблички.

Коли ми повернулися до бабусі, на нас чекали чергові новини.

— Телефонував тато Емі. Завтра до нас приїздять мама Емі з вашою приятелькою Анєлою та Шоколадкою.

— Кру-у-у-то-о-о-о! — заверещали ми з усієї сили.

— Таємний Клуб у повному складі, — промовив Франек. — Щоправда, загадка вже розгадана.

## ЮВІЛЕЙНИЙ ЗАБІГ У ЖАБ'ЯЧОМУ РОЗІ. ФРАНЕК ВСТУПАЄ ДО ТАЄМНОГО КЛУБУ!

У суботу ми прокинулися досить рано, бо пташки голосно щебетали, ще відколи зійшло сонце.

— Вони вгамуються коли-небудь? — спитала заспана Флора.

— Хто — вони? — здивувалась я.

— Пташари оці, — буркнула Флора і залізла під ковдру.

— Сподіваюся тільки, що це не зяблики. Зяблики можуть защебетати дві тисячі разів без перерв, — промовила Фаустина.

Флора як ошпарена зірвалася з ліжка.

— Дві тисячі разів? — перепитала вона. — Бути такого не може! Хоча чого це ми маємо тобі вірити?

Фау застромила руку під подушку й вийняла звідти книжку. Дала її Фло.

— «Щоденник юних натуралістів. Цікавинки зі світу природи», — прочитала Флора.

Я здивовано глянула на Фаустину:

— Ти ховала від нас цю книжку?

— Мені її Геля дала, — пояснила та. — Я вам нічого не казала, бо ж Фло вважає, що немає нічого гіршого, ніж читати на канікулах.

— Я саме так і вважаю! — згодилася Флора.

Фаустина стенула плечима:

— А я люблю природу. І хочу про неї читати. Навіть на канікулах.

Тоді я подумала, що такі суперечки не відповідають принципам Таємного Клубу Супердівчат. Проте не встигла про це сказати, бо хтось загупав у двері.

— Агов! Таємний Клубе! Ви знаєте, що нам сьогодні треба дещо відсвяткувати? — заверещав Франек і, не чекаючи запрошення, увірвався до нашої кімнати.

— Ми будемо святкувати ще один день, коли ти не в Клубі, — гукнула Флора і знову пірнула під ковдру.

Франека це нескілечки не зачепило, і він урочисто мовив:

— Якраз минув тиждень, як ми приїхали до Жаб'ячого Рогу.

— О-о-о-о! — вигукнули ми хором.

Флора запропонувала:

— Можемо це відзначити! Влаштуємо перегони біля річки. Переможець сидітиме на почесному місці за сніданком.

Ми хутко натягнули на себе одяг, бо ж не могли бігати в піжамах. І відразу ж помчали до річки. Перегони виграла Фаустина, тож Фло дуже засмутилася.

— Не можу повірити, що це не я виграла. Адже це була моя ідея.

Ми поверталися від річки зі спеціальним балдахіном із липових гілок, під яким гордовито йшла Фаустина.

Коли ми зайшли на веранду, Франек сказав:

— Урочисто оголошую, що в Першому ювілейному забігу в Жаб'ячому Розі перемогла Фаустина!

Фау зайняла почесне місце, тобто стілець із бильцем, що стояв найближче до вікна. Це справді було стратегічне місце. Звідси ідеально було видно все подвір'я, сад і кухню. Той, хто там сидів, бачив усіх і знав усе.

На сніданок бабуся напекла для нас гору млинців із чорницями. А пані Лаура приготувала коктейль зі свіжих полуниць просто з грядки. Це було пресмачно!

— У вас чудовий ювілейний сніданок, до якого ви самі доклали зусиль. Бо це ті чорниці, які ми назбирали, коли ходили до лісу, — нагадала пані Лаура.

— А такі млинці бабуся їла, коли була така, як ми, — задоволено сказала я.

Бабуся це підтвердила:

— То була моя улюблена страва. А тепер пийте коктейль, бо полуниць на грядках стає все менше.

— О-о-ой, шкода. Я думала, що полуниці ціле літо ростуть, — засмутилась я.

— Ростуть вони довго, але родять від червня до липня. А потім на них уже немає ягід. Принаймні у мене в саду саме так, — сказала бабуся.

Коли ми вже майже доснідали, надворі зчинився шалений гармидер. Ревіла сигналка, а собаки

у Костека за парканом люто гавкали. Ми вибігли надвір. Ну звісно! Це були мої батьки й Анєла! Нарешті вони приїхали!

Ми обіймалися з Анєлою так, ніби цілий рік не бачилися. Флора, Фаустина і Франек відразу помчали з Анєлою до літнього будиночка. Шоколадка також нарешті дочекалася своїх канікул. Тепер вона стрибала біля огорожі й гавкала на Лісовика.

Переляканий Скиглій стояв на безпечній відстані й час від часу чудернацько поскиглював. Зрештою, його не дарма так назвали!

Я покликала Шоколадку, і мені вже здалося, що я її вгамувала. Аж тут вона помчала на луг, повернулася геть мокра і розгавкалася ще голосніше.

— Що таке робиться з цією псиною? — здивувалася мама.

— Та нічого, — заспокоїла я маму. — Просто вона викупалася в річці. У нас же спека.

Потім ми всі зручненько вмостились у саду, попиваючи лимонад, який до приїзду гостей приготувала пані Лаура.

— Лауро! У Жаб'ячому Розі в тебе з'явилися нові вміння! — прицмокнув тато, сьорбнувши ковток прохолодного напою.

Флорина мама почала розповідати про наші вилазки до стайні, про Малагу й поні і, звісно ж, про похід по чорниці. Також принесла слоїк меду з пасіки пана Францішека.

— Чудовий садівник, а пасічник ще кращий, — вихваляла вона його. — Маємо зробити йому в місті рекламу. Зрештою, я пообіцяла йому, що заїдемо по сливи. Може, вже є перші яблука?

Мама підозріливо зиркнула на неї.

— Лауро, ти ж ніколи не купувала ні городини, ні садовини у селян чи на ринку!

— Жаб'ячий Ріг — це особливе місце. Воно змінює людей, — промовила пані Лаура.

Ми разом із бабусею дослухáлися до цієї бесіди.

— Ми з Лаурою сьогодні готуємо суп із лисичок, — промовила бабуся.

— Зі скажених лисиць! — заверещав на весь голос Франек, що мчав за Флорою, Фаустиною та Анєлою. Він схопив мене за руку:

— Емі, побігли з нами!

Тож я побігла з усіма. Ми зупинилися біля куренів.

— Школа виживання, — діловим тоном пояснила Фло Анєлі. — Пам'ятай: куренів не можна будувати під деревами чи в низовині.

Анєла взагалі не розуміла, про що річ.

— Щось мені нічого не ясно.

Флора із запалом пояснювала далі:

— Під час грози з дерева може впасти гілляка. І твоєму куреню відразу гаплик. А в западинах на землі збирається вода — вона може змити курінь і все твоє майно разом із тобою.

Анєла закивала головою на знак того, що до неї дійшло. Але я бачила, що вона геть приголомшена.

— Бачу, що повно всього пройшло повз мене, — зажурилась вона.

— Не переймайся, — я поплескала її по плечу. — Нічого особливого в цьому немає. Ми всяке таке робили у підготовчому класі на зеленій мандрівці, пам'ятаєш?

Тоді Франек видав:

— А ще ти проґавила розслідування Таємного Клубу Супердівчат!

Анєла докірливо глянула мене. Вона вже збиралася щось сказати, але тут на лузі з'явилась відома нам компанія.

— Двійнята, — зітхнула Флора. — Іванко й Марійка, наче з книжки. Ходять за нами, як дві тіні.

Брат із сестрою накинулися на Анєлу. Засипали її купою запитань:

— Ти теж із Таємного Клубу? — долетіло до мене одне з них.

Анєла ствердно кивнула головою, а двійнята з вереском залізли у свій курінь.

— Курінь у них не дуже. Та ясно. Наш вігвам поза конкуренцією, — по-діловому промовив Франек.

«Бідна Анєла, — подумала я. — Вона геть спантеличена».

Двійнята якраз вибралися зі свого сховку. Вони несли перед собою капелюх із пером, який начепили Анєлі на голову.

— Ласкаво просимо, приєднуйся до племені Двійнят! — промовили вони хором.

Анєла, й оком не змигнувши, подалася за ними і зникла в курені.

Флора зморщилась:

— А це вже зрада!

Я не знала, що робити. З одного боку, я би хотіла, щоб Анєла гралась у нашому вігвамі. З іншого боку, залізний принцип Клубу — дружба й довіра.

Отож я зупинила Флору.

— Почекаємо. Анєла точно до нас повернеться.

Фаустина із Франеком мене підтримали. Тож ми сиділи собі в нашому вігвамі й весело гомоніли. Хоча нам було трохи сумно, бо вже невдовзі поїдемо з Жаб'ячого Рогу.

— А легенди ми й досі не знаємо, — нагадала Фаустина.

Не минуло й п'ятнадцяти хвилин, як Анєла виповзла з куреня двійнят і прийшла до нас.

— Я не могла їм відмовити, раз вони мене запросили, — почала виправдовуватися вона й попросила: — Розкажіть, як ви відгадали загадку?

Ми почали розповідати про Гелю й бібліотеку, а також про справу загублених книжок.

— Мало того, що впродовж навчального року купа книжок зникла, то й зараз на канікулах вони наче розчинялися в тумані! — утаємничувала я Анєлу в наше розслідування.

— До того ж серед них були цінні примірники. Справжні раритети, — додала Флора.

Тут втрутилася Фаустина:

— Уяви собі, що в Гелі був старезний буквар, якому вже майже сто років. І він також зник.

— Але хвилюватися було нічого. Ми тримали руку на пульсі справи, — озвався Франек. — Навіть вигадали план пробратися вночі до бібліотеки. Ну, знаєш, із ліхтариками і всяким таким. І нарешті все вдалося.

Як керівничка Таємного Клубу Супердівчат, я підтвердила його слова.

— Ми розплутали нову загадку! І допомогли Гелі.

Тоді Анєла сказала Франекові:

— Ти був гідним моїм заступником. Дякую!

Франек глянув на нас і промовив:

— Якщо серйозно, то я вважаю, що ви маєте змінити назву на Таємний Клуб Супердівчат і Суперхлопця.

— Це ми ще подивимось, — швидко відрізала Флора.

Аж тут до намету заглянув Костек.

— Бачу, ваш вігвам досить непогано стоїть, — похвалив він наш курінь.

Ми познайомили його з Анєлою і помчали назад у двір. Звісно ж, двійнята понеслися за нами. Костек теж подався слідом. Потім прийшла Геля. Усі вже сиділи на веранді, а пані Лаура насипáла суп із лисичок.

— Ну тут і народу! — промовила Флора. — Таємний Клуб Супердівчат переселяється до саду.

— Раз зайшла мова про Таємний Клуб, то я маю дещо сказати, — оголосила Геля. — Завдяки вам мої проблеми вирішилися, у бібліотеку повернулося раритетне видання і багато інших книжок. Крім того, я знайшла помічників і друзів. Я спекла вишневий пиріг, щоб відсвяткувати цю незвичайну подію.

У нас аж слинка потекла, коли ми побачили таку смакоту.

— Але зала у бібліотеці й даліноситиме ім'я Таємного Клубу Супердівчат? — допитувалася Флора.

Геля сказала, що так, а потім розповіла батькам про загадку бібліотеки і як нам вдалося її розгадати. Круто!

Ми спокійно смакували супчиком у саду. У дівчачій компанії. Франека з нами не було.

— Куди це він подівся? — ламала голову Флора.

— Думаю, що йому вже набридло. Він відіграв важливу роль у розслідуванні, але все одно не в Клубі, — буркнула Фаустина.

— Ну, ми ж не приймаємо хлопців до Клубу! — сказала Флора.

І це була правда. Як керівничка Таємного Клубу, я взяла слово:

— І Фау, і Флора мають рацію. Треба знайти спосіб нагородити Франека як годиться.

— Може, все-таки приймемо його до Таємного Клубу? Нам же треба його розширювати, — запропонувала Анєла.

— Сьогодні ввечері влаштовуємо багаття для гостей, — нагадала я. — Це буде чудова нагода!

Після обіду й десерту, на який ми отримали по великому шматку пирога з вишнями, ми розпочали підготовку до вогнища.

Сьогодні Франек пропонував розкладати багаття по-іншому, але нехай вирішує це питання сам. Може, Костек йому допоможе? Вони обоє люблять оті школи виживання. У нас же було важливіше завдання — ми організовували бойове хрещення нового члена Таємного Клубу. І ніхто не мав про це знати.

Коли настав час розпалювати багаття, ми всі зібралися біля кам'яного кола. Конструкція для багаття була надзвичайна.

— Це завдяки архітектурним талантам тата Емі, — пояснив Костек.

Я зраділа, що тато також любить школу виживання.

— О так, Емі. Вона у мене триває щодня, — промовив тато.

Невдовзі багаття вже палахкотіло, а Франек постійно носив хмиз, щоб воно не погасло. Потім ми пекли ковбаски і хрумали огірки.

Нарешті я дала знак розпочинати урочисту частину. Не звертаючи на себе нічиєї уваги, ми ненадовго зникли в нашому вігвамі. Вийшли з намету, несучи над головами величезний транспарант, на якому було написано:

«ВІТАЄМО У КЛУБІ, ФРАНЕКУ!».

Поруч із написом красувався великий знак Таємного Клубу Супердівчат.

Веселий гомін біля вогнища вщух, усі напружено чекали, що ж буде далі.

Я врочисто оголосила:

— Хай вийде вперед той, хто фанатіє від експериментів, знає, що таке школа виживання, і вміє розкласти багаття.

Наперед вискочив Іванко.

— Не ти... — зашипіла Флора.

Франек роззирнувся навколо й недовірливо прошепотів:

— Я?

Я кивнула головою. Франек ступив крок уперед, а Флора вручила йому пам'ятну грамоту Суперхлопця, почесного члена Таємного Клубу.

Дорослі заплескали в долоні, хоча церемонія ще не завершилася.

— Оголошую, що першим хлопцем, якого прийняли до Таємного Клубу Супердівчат, став Франек! — промовила я.

ВІТАЄМО У КЛУБІ, ФРАНЕКУ!

Почулися вигуки «Браво!» й оплески.

Тоді Франек попросив тиші й сказав:

— Для мене це велика честь, що ви прийняли мене до Таємного Клубу Супердівчат і Суперхлопця.

Флора запротестувала:

— Міняти назву ми не будемо!

Двійнята підскочили до нас і зарепетували:

— Ми теж хочемо до Клубу! І ми хочемо!

— На це справді треба заслужити. Розгадати якусь загадку або допомагати іншим, — пояснювала я, бо в наші плани аж ніяк не входило приймати до Клубу Іванка та Марійку.

— Але ж я допомагатиму в бібліотеці! — нагадала Марійка.

Я замислилася.

— Придумала! Якщо Геля буде задоволена вашою допомогою, то можете тут, у Жаб'ячому Розі, відкрити філіал Таємного Клубу Супердівчат.

День був повен вражень! Адже виявилося, що батьки й пані Лаура приготували для нас справжню несподіванку.

— Як вам тут, у Жаб'ячому Розі? Подобається? — спитав тато.

— Круто! — відповіли ми хором.

— Бабуся згодилася, щоб ви погостювали в неї ще тиждень, — промовив тато.

Пані Лаура і пан професор дуже тішилися цій новині.

— Жаб'ячий Ріг особливий! — вигукнула натхненно пані Лаура.

Ми були наче на сьомому небі й з усіх сил закричали:

— Уррра-а-а!

На землю опускалася ніч, а ми й далі сиділи, вдивляючись у спалахи вогню. Аж тут озвалася Геля.

— Якщо мене не зраджує пам'ять, ви хотіли довідатися легенду Жаб'ячого Рогу. Отож слухайте. Колись давно, хоча ніхто не знає коли, тут, де зараз село, лежав маленький рибальський хутірець. Справді дуже маленький. Він звався Ріг. На березі річки стояло кілька убогих хатин. Річка була досить мілка, і в ній жило більше жаб, аніж риб, отож рибалкам треба було доволі багато трудитися, щоб наловити вдосталь риби. Свій улов рибалки продавали на містечковому ярмарку. Однак велося їм усе гірше, тож голод підкрадався все ближче. Вечорами, коли починали кумкати жаби, жінки бралися нарікати на гірку долю. І якось перед однією жінкою з'явився жаб'ячий король. Він озвався до жінки людським голосом. Сказав, що, як тільки рибалки почнуть ловити рибу на сусідньому озері, їхня доля зміниться. І так воно й сталося. Рибалки домовилися з сусідами, що жили біля того озера, про яке розповів жаб'ячий король, і почали разом із ними ловити там рибу. Відтоді всі в Розі жили щасливо і в достатку. А на згадку і на знак вдячності жаб'ячому королю за ці щасливі зміни мешканці назвали свій хутірець Жаб'ячий Ріг*.

— І я там був, мед-вино пив. І що бачив, те вам розповів, — завершив Костек.

Після цього ми пішли спати. Потомлені, але сподіваючись на нові пригоди у Жаб'ячому Розі.

---

* У кожній легенді завжди приховано дещицю правди. Таке село і справді є в Польщі у Вармінсько-Мазурському воєводстві. Однак той Жаб'ячий Ріг, про який ідеться в цій книжці, розташований у зовсім іншій місцині, хоча й має схожу історію.

# ЗМІСТ

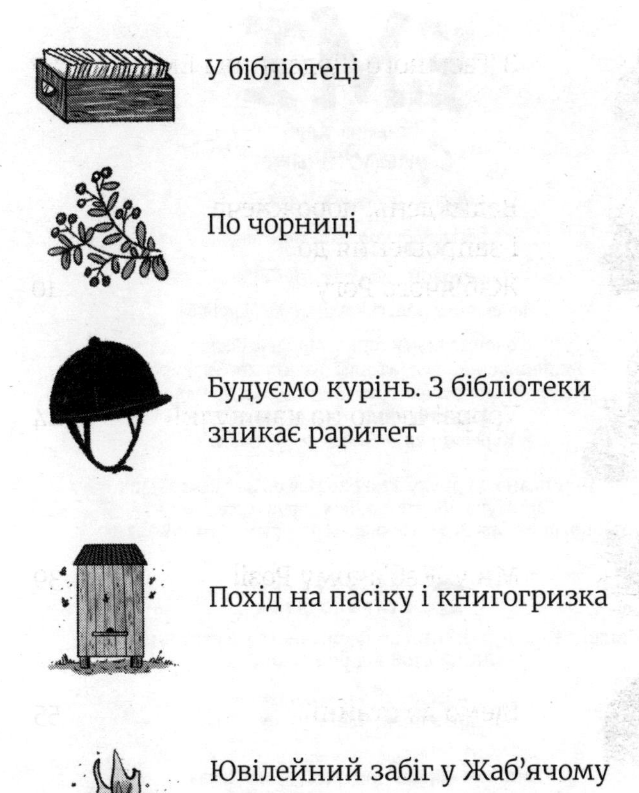

*Літературно-художнє видання*

Агнєшка Мєлех

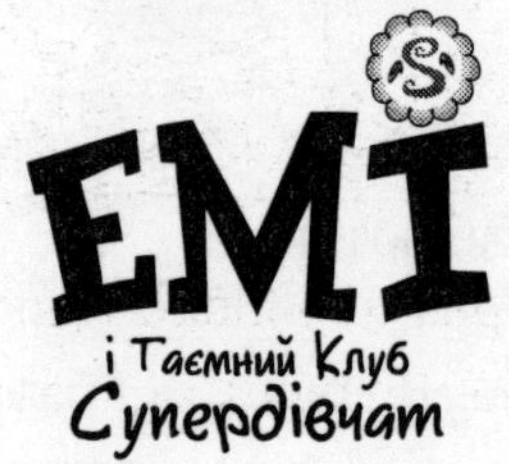


Слідство під час канікул

*Для молодшого шкільного віку*

Ілюстрації *Магдалени Бабінської*

Переклад з польської *Дзвінки Матіяш*

Головна редакторка *Мар'яна Савка*
Відповідальна редакторка *Анастасія Єфремова*
Літературна редакторка *Марія Дзеса-Думанська*
Макетування *Андрій Бочко*
Коректорка *Анастасія Єфремова*

Підписано до друку 27.07.2021. Формат 84×108/32
Гарнітура «Merriweather». Друк офсетний
Умовн. друк. арк. 9,24. Наклад 3000 прим. Зам. № 523/07

Свідоцтво про внесення до Державного реєстру видавців
ДК № 4708 від 09.04.2014 р.

*Адреса для листування:*
а/с 879, м. Львів, 79008

Книжки «Видавництва Старого Лева»
Ви можете замовити на сайті *starylev.com.ua*
0(800) 501 508 spilnota@starlev.com.ua

*Партнер видавництва*

Надруковано у ПП «Юнісофт»
61036, м.Харків, вул. Морозова, 13 б
www.unisoft.ua
Свідоцтво ДК №5747 від 06.11.2017 р.

UNISOFT

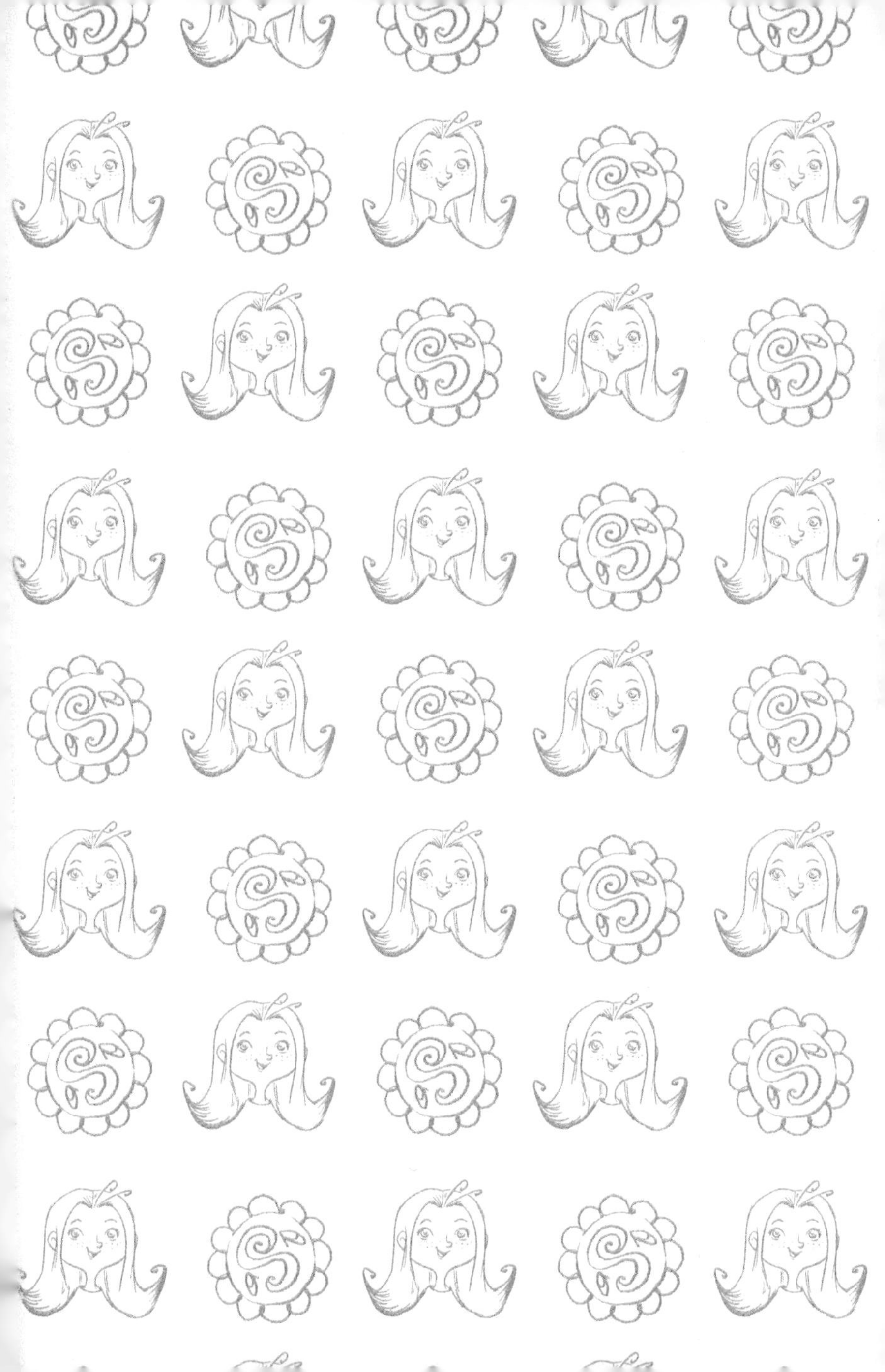

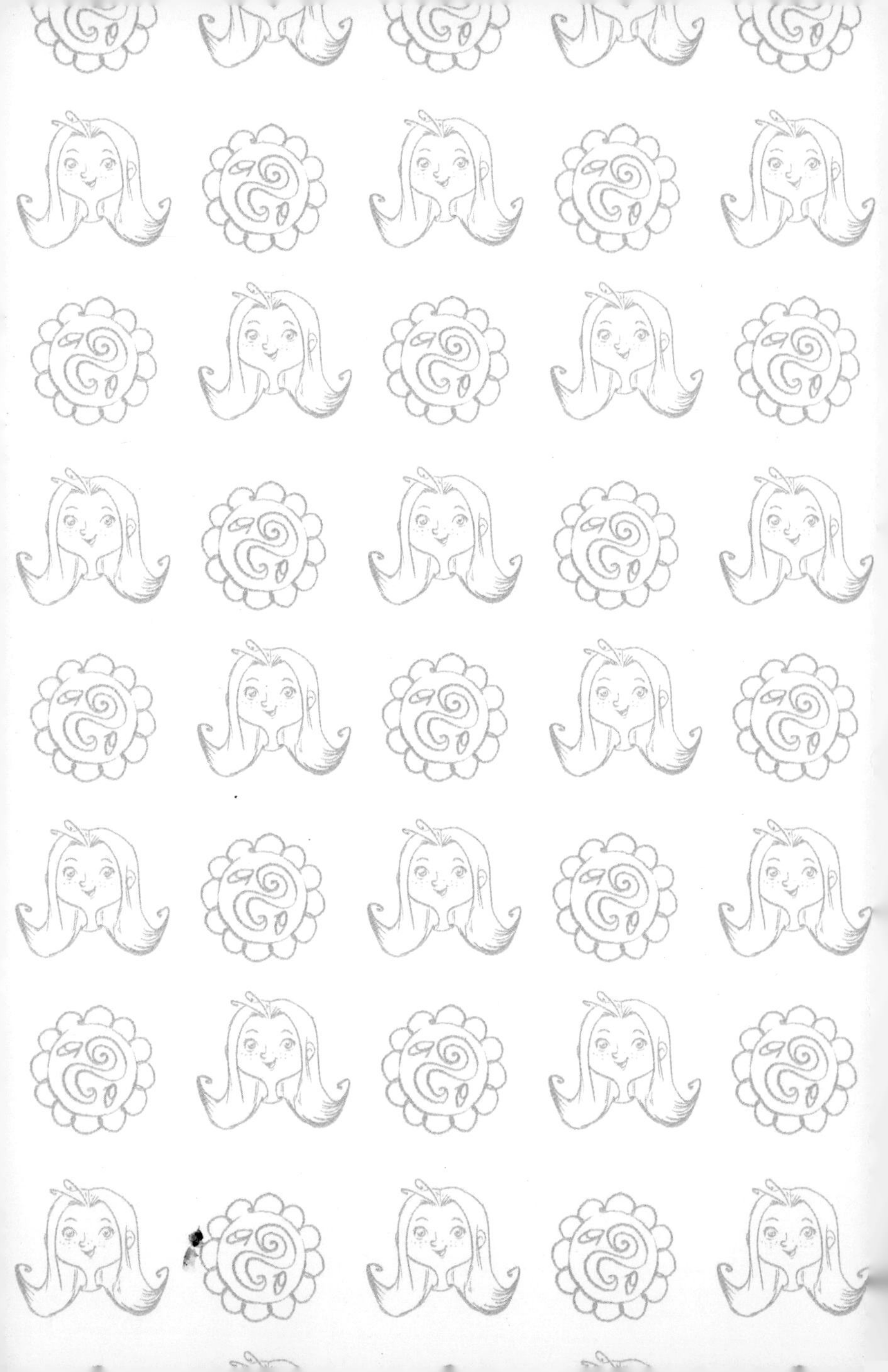